Português

outra Vez

Helena Ventura
Parvaz Salimov

Lidel – edições técnicas, lda

EDIÇÃO E DISTRIBUIÇÃO

Lidel – Edições Técnicas, Lda
Rua D. Estefânia, 183, r/c Dto – 1049-057 Lisboa
Tel: +351 213 511 448
lidel@lidel.pt
Projetos de edição: editec@lidel.pt
www.lidel.pt

LIVRARIA

Av. Praia da Vitória, 14 A – 1000-247
Lisboa
Tel: +351 213 511 448
livraria@lidel.pt

Copyright © 2015, Lidel – Edições Técnicas, Lda.
ISBN edição impressa: 978-989-752-072-3
1.ª edição impressa: junho 2015
Reimpressão de outubro 2017

Pré-impressão: Mónica Gonçalves
Impressão e acabamento: Realbase - Sistemas Informáticos, Lda. - Albergaria-a-Velha
Dep. Legal: n.º 393608/15

Capa: Emília Calçada (www.bookscoverdesign.com)

Todos os nossos livros passam por um rigoroso controlo de qualidade, no entanto aconselhamos a consulta periódica do nosso *site* (www.lidel.pt) para fazer o *download* de eventuais correções.

Não nos responsabilizamos por desatualizações das hiperligações presentes nesta obra, que foram verificadas à data de publicação da mesma.

Os nomes comerciais referenciados neste livro têm patente registada.

Saber uma língua e saber acerca de uma língua pode não corresponder a conhecê-la integralmente. A língua é algo vivo que depende de muitos fatores e cada falante a entende e utiliza de diferentes modos.

Além das várias idiossincrasias, há a relação afetiva, emocional e intelectual que cada um tem com a língua, dependendo também do contexto cultural em que se encontra.

A língua portuguesa apresenta particularidades que a tornam muito rica, quer a nível morfológico quer a nível sintático.

Por exemplo:
- a possibilidade de exprimir as emoções através do uso do conjuntivo. Daí, dizer-se que é uma língua muito poética, mas difícil;
- o vocábulo «saudade», muito português, intraduzível, pela carga afetiva que transmite;
- o portuguesíssimo verbo «desenrascar», fruto de uma atitude muito pragmática: perante qualquer dificuldade, o português encontra sempre uma solução rápida e prática para resolver a questão, ou seja, «desenrasca a situação».

Curiosamente, o cariz internacionalista do povo português é inegável e a sua tendência para a autocrítica também se evidencia. Vejamos, a título de exemplo, as seguintes expressões:
- Se tem um problema para ultrapassar... diz que se "vê grego";
- Se alguma coisa é difícil de compreender... diz que "é chinês";
- Se trabalha de manhã à noite... diz que "é um mouro";
- Se tem uma invenção moderna e mais ou menos inútil... diz que "é uma americanice";
- Se alguém mexe em coisas que não deve... diz que "é como o espanhol";
- Se alguém vive com luxo e ostentação... diz que "vive à grande e à francesa";
- Se alguém faz algo para causar boa impressão aos outros... diz que "é só para inglês ver";
- Se alguém tenta «regatear» o preço de alguma coisa... diz que "é pior que um marroquino".

Mas quando alguém faz asneira ou alguma coisa corre mal... diz que "é à Portuguesa"!!!

Perante a inesgotável questão do conhecimento de um língua, neste caso a língua portuguesa, apresentamos uma proposta de exercícios de aprofundamento de conhecimentos, esperando poder contribuir, deste modo, para um melhor entendimento e clarificação das subtilezas da língua portuguesa.

Assim, nunca será de mais voltar ao *Português outra vez*.

Os Autores
Helena Ventura e Parvaz Salimov

Índice

 **A NATUREZA**

1 **Faça corresponder as seguintes expressões aos respetivos significados.**

1. Frio de rachar
2. Arranjar lenha para se queimar
3. Chamar-lhe um figo
4. Ficar em águas de bacalhau
5. Mandar à fava
6. Com a cabeça na lua

7. Mandar às urtigas
8. Tirar o cavalo da chuva
9. Sol de pouca dura
10. Ter névoa nos olhos
11. Aos quatro ventos
12. Estar com um grão na asa

a) Injuriar uma pessoa; mandar embora; mandar bugiar.

b) Querer ficar com algo; achar que é bom; comer sofregamente uma coisa.

c) Provocar ou criar dificuldades para si próprio.

d) Muito frio.

e) Perder as ilusões; desistir de alguma coisa.

f) Algo que ficou parado, não se chegando a realizar.

g) Atirar fora; desfazer-se de alguma coisa.

h) Espalhar ou difundir uma notícia por todo o mundo.

i) Situação passageira.

j) Estar distraído, desatento.

k) Compreender mal a situação; deixar-se enganar.

l) Estar ligeiramente embriagado.

2 **Complete as frases com as expressões do exercício anterior.**

a) Quando estou a dizer-lhe algo ele nunca escuta. Está sempre _____.

b) Ontem de manhã, enquanto esperávamos para entrar no consulado albanês, estava
_____.

c) Vocês empregaram todos os esforços para o conseguirem, mas, apesar disso, tudo
_____.

d) Agora, o meu ex-marido anda a espalhar essa notícia _____.
Que baixeza!

e) A minha amiga Mariana _____. Não se apercebe de que está enganada.

f) Agindo assim estás a _____ porque não os conheces bem!

g) _____ todas as tarefas _____ e fui ter com os
meus colegas de trabalho.

h) Depois de lhe ter perguntado com quem passou a noite, o Jorge _____-a
_____.

i) Filho! Tens que _____ e admitir que é impossível comprares aquela
casa.

j) Se os teus sapatos de salto alto já não te servem, dá-mos, _____!

k) As flutuações bolsistas e as tendências comerciais são, muitas vezes, _____.

l) O João divertiu-se na festa, comeu e bebeu, e quando voltou para casa já _____.

3 **Escolha a palavra correta, explique o seu significado e construa uma ou duas frases
utilizando as expressões.**

a) Fazer castelos no _____. | **monte** | **bosque** | **ar** | **campo** |
A minha avó diz que deixes de sonhar; não _____
_____
_____

b) Ficar a ver _____. | **estrelas** | **céu** | **nuvens** | **neve** |
Ontem, enquanto arrumava a arrecadação do hotel onde trabalho, derrubei a caixa de
ferramentas e _____
_____
_____

c) Chover a _____. | **cestas** | **jarras** | **cântaros** | **cestos** | **jarros** |
Anteontem de manhã, não pude sair, porque _____
_____
_____

d) Cair_____. | **da atmosfera** | **das estrelas** | **das nuvens** |
A minha mãe não sabia que eu estava grávida; quando soube, _____
_____
_____

e) Mover _____. | **o céu e a terra** | **céus e mares** | **terras e mares**

Aceitei o desafio do destino e _____

_____

_____

f) Deitar-se com _____. | **os galos** | **os perus** | **os bois** | **as galinhas**

No verão, eu costumava passar as férias numa aldeia na Ucrânia _____

_____

_____

4 **Relacione as frases das duas colunas e forme provérbios conhecidos. Explique o seu significado.**

a) Nunca digas

b) Dá Deus nozes

c) Água mole em pedra dura

d) O fruto proibido é

e) Não há rosas

f) De boa árvore

g) Quem semeia ventos

h) A noite é

i) Muita parra

j) Depois da tempestade

k) Águas passadas

l) Quem anda à chuva

m) Não há fumo

1. não movem moinhos.

2. pouca uva.

3. vem a bonança.

4. bom fruto.

5. tanto bate até que fura.

6. o mais apetecido.

7. molha-se.

8. desta água não beberei.

9. a quem não tem dentes.

10. colhe tempestades.

11. boa conselheira.

12. sem fogo.

13. sem espinhos.

a) _____

b) _____

c) _____

d) _____

e) _____

f) _____

g) _____

h) _____

i) _____

j) _____

k) _____

l) _____

m) _____

5 **Escolha a palavra correta e explique o significado das expressões.**

a) Fazer _____ crescer aparecer fugir água na boca.

_____

_____

b) Pescar em águas _____. opacas turvas baças

_____

_____

c) Arder Espumar Ferver _____ em pouca água.

_____

_____

d) Levar a água ao seu _____. tanque sulco moinho

_____

_____

e) Suar Dar Soltar _____ as estopinhas.

_____

_____

f) Trazer água no _____. cantil balde bico

_____

_____

g) Ter o fígado os pulmões a cabeça _____ em água.

_____

_____

h) Remar Navegar Correr _____ contra a maré.

_____

_____

6 **Complete as frases com as expressões do exercício anterior.**

a) Eu e o teu pai _____ para conseguirmos a posição que ocupamos hoje na empresa.

b) As lembranças daqueles petiscos _____-me _____.

c) Finalmente o tio dele conseguiu _____. Agora é diretor de um estaleiro em São Petersburgo.

d) Tu _____. Não tens nenhum motivo para ficares assim tão exaltada.

e) A Joana _____. Ela não é de confiança.

f) Depois de um dia cheio de reuniões e negociações, sinto-me exausto;
_____.

g) Já estou farto disto. Bem poderias _____ que o resultado é sempre o mesmo.

h) Numa empresa tão competitiva, todas as propostas, de uma forma ou de outra,
_____.

 A FAUNA

1 **Faça corresponder os seguintes significados às respetivas expressões.**

1. Uma hipocrisia, um falso arrependimento ou uma insinceridade.

2. Grande quantidade de pessoas num espaço pequeno.

3. Diz-se de uma pessoa tenaz, cabeçuda ou insistente.

4. Pouca gente.

5. Diz-se de uma pessoa inofensiva, pacífica.

6. Dar ou supor como certo algo que não aconteceu.

7. Resolver dois assuntos ao mesmo tempo.

8. Ser responsabilizado por tudo.

9. Ficar com a melhor parte.

10. Andar sem norte, sem orientação.

11. Estar baralhado, confuso.

a) Como sardinha em lata.
_____

b) Não fazer mal a uma mosca.
_____

c) Ser teimoso como um burro.
_____

d) Meia dúzia de gatos-pingados.

e) Chorar lágrimas de crocodilo.

f) Matar dois coelhos de uma cajadada.

g) Ficar com a parte de leão.

h) Ser bode expiatório.

i) Contar com o ovo no cu da galinha.

j) Fazer um bicho de sete cabeças.

k) Andar às aranhas.

2 Complete as frases com as expressões do exercício anterior.

a) — Como é que sabes que o Paulo não faz parte da quadrilha que anda a roubar os supermercados?
— O Paulo? Meu Deus! Ele não é capaz de _____.

b) No funeral do seu terceiro marido, a Sofia estava inconsolável, mas todos nós sabíamos que _____.

c) Ontem, tivemos que ir de autocarro para o escritório na hora de ponta por causa da greve dos funcionários do metropolitano. Estávamos _____.

d) Eduardo! Tu _____. Quando eras criança já mostravas ser de ideias fixas.

e) Quero fazer um estágio linguístico na Geórgia. Assim poderei _____: aprender uma língua complexa e ver os lugares de interesse nesse país extraordinário.

f) Os cipriotas recusam _____ e aprovar o imposto sobre os depósitos bancários.

g) Se fores ao concerto deste grupo verás _____ no auditório.

h) O governo _____ porque não consegue resolver o problema da inflação, que está cada vez mais acentuada.

i) Naquela altura, foram amigos e parceiros. Contudo, doze anos depois, discutiram e fecharam a editora. O Fernando _____ de todos os bens.

j) O João _____ com o exercício de matemática que a professora lhe passou para trabalho de casa.

k) — A Natália gasta quase todo o dinheiro sem pensar no seu futuro.

— Pudera! Está a _____ esperando que todas as casas do avô em Antuérpia fiquem para ela. Que tolice!

3 **Relacione as frases das duas colunas e forme provérbios e expressões conhecidas. Explique o seu significado.**

a) De noite	☐	1. no seu galho.
b) Por morrer uma andorinha	☐	2. a porcos.
c) Filho de peixe	☐	3. à frente dos bois.
d) Mais vale um pássaro na mão	☐	4. tempestade no mar.
e) Gato escaldado	☐	5. todos os gatos são pardos.
f) Pôr o carro	☐	6. enche a galinha o papo.
g) Cada macaco	☐	7. é melhor do que a minha.
h) Grão a grão	☐	8. não acaba a primavera.
i) Cão que ladra	☐	9. de água fria tem medo.
j) A cavalo dado	☐	10. não entram moscas.
k) Gaivotas em terra	☐	11. não aprende línguas.
l) Deitar pérolas	☐	12. que dois a voar.
m) A galinha da minha vizinha	☐	13. não morde.
n) Burro velho	☐	14. não se olha o dente.
o) Em boca fechada	☐	15. sabe nadar.

a) _____

b) _____

c) _____

d) _____

e) _____

f) _____

g) _____

h) _____

i) _____

j) _____

k) _____

l) _____

m) _____

n) _____

o) _____

4 Assinale a resposta correta.

a) Ser macaco velho (ou raposa velha).

☐ 1. pessoa idosa e doente

☐ 2. indivíduo sabido e matreiro

☐ 3. palhaço velho

b) Engolir sapos.

☐ 1. suportar dificuldades sem poder protestar

☐ 2. ter muita fome

☐ 3. ser audaz e corajoso

c) Estar com a mosca.

☐ 1. voar de alegria

☐ 2. ser maçador

☐ 3. estar amuado

d) Matar o bicho.

☐ 1. adivinhar um segredo

☐ 2. ser despiedado

☐ 3. tomar uma bebida alcoólica de manhã, em jejum, para não sentir o frio

e) Cortar as asas (a alguém).

☐ 1. impedir, não permitir

☐ 2. torturar

☐ 3. interromper

f) Andar às aranhas.

☐ 1. estar vigilante

☐ 2. limpar, arrumar

☐ 3. estar desorientado; numa situação difícil

g) Encanar a perna à rã.

  ☐ 1. demorar, atrasar

  ☐ 2. assassinar

  ☐ 3. salvar

h) Fazer gato-sapato de alguém.

  ☐ 1. humilhar, maltratar, tratar com desprezo

  ☐ 2. brincar

  ☐ 3. mimar

i) Comer gato por lebre.

  ☐ 1. zampar

  ☐ 2. ser enganado

  ☐ 3. fintar

j) Olhar como boi para palácio.

  ☐ 1. invejar

  ☐ 2. ter ciúmes

  ☐ 3. não compreender nada

5 Complete as frases com as expressões do exercício anterior.

a) De manhãzinha, com tanto frio, antes de ir trabalhar para a vinha, tenho de _____.

b) O pai do João tem um carácter insuportável. A empregada dele, a Sara, tem que _____. Coitada!

c) O nosso país precisa de uma profunda reforma administrativa, mas os que governam _____. Haja paciência!

d) Ontem _____. Comprei um capacete e um taco de basebol para o meu sobrinho, mas o taco partiu-se durante o primeiro treino.

e) O conselheiro dele _____. Não se deixa enganar.

f) Desde manhã que tu _____. O que é que aconteceu?

g) O meu chefe _____-me sempre _____. Nunca aceita as minhas propostas, nem os meus projetos.

h) Francisco! Já te disse que deves separar-te da Irene. Ela _____ de ti.

i) Ela nunca tinha ouvido o nome de Manoel de Oliveira! Ficou a olhar para o guia

_____.

j) Como eu tinha faltado às aulas de Química inorgânica, _____ durante o seminário.

6 **Relacione as frases das duas colunas e forme provérbios e expressões conhecidas. Explique o seu significado.**

a) Tratar
b) Quando as galinhas
c) Pensar
d) Ficar pior
e) Ser feio
f) Não é com vinagre
g) Estar com a pulga
h) Meter-se
i) Meter o rabo
j) Cair
k) Meter a pata

☐ 1. na poça.
☐ 2. na boca do lobo.
☐ 3. como um bode.
☐ 4. abaixo de cão.
☐ 5. tiverem dentes.
☐ 6. na morte da bezerra.
☐ 7. nas garras de alguém.
☐ 8. que se apanham moscas.
☐ 9. atrás da orelha.
☐ 10. do que uma barata.
☐ 11. entre as pernas.

a) _____

b) _____

c) _____

d) _____

e) _____

f) _____

g) _____

h) _____

i) _____

j) _____

k) _____

7 **Complete as frases com as expressões do exercício anterior.**

a) Quando é que a tua irmã escreverá a tese? _____.

b) O novo namorado da Eulália _____. Não sei como é que ela consegue beijá-lo!

c) A minha mãe _____ quando soube que eu tinha partido o bule e a chávena japoneses.

d) Com o génio que tem, a Júlia não vai conquistar o Hans. _____!

e) Tu não me ouves! Parece que estás a _____.

f) Ele _____ a mulher _____. Não admira que ela tenha pedido o divórcio.

g) Ele foi um cobarde! _____, admitiu o erro e demitiu-se.

h) No século XVI, muitos povos balcânicos _____ dos turcos.

i) Tu _____ quando perguntaste ao Sr. Guimarães se ele sabia nadar. Ele fazia parte da seleção nacional de natação.

j) Depois de tantos fracassos e tantas falsas promessas, a Gabriela _____.

k) Ao aceitar trabalhar para aquele banco à beira da falência, o Paulo foi _____ _____.

8 **Escolha a palavra correta, explique o seu significado e construa uma ou duas frases utilizando as expressões.**

a) Amarrar o _____. | cavalo | burro | urso | carneiro |
Desde anteontem que o Jorge está proibido de conduzir e _____
_____
_____

b) Aqui há _____. | cão | gato | lebre | coelho |
Durante os cinco últimos dias verifiquei a contabilidade anual e descobri que os ativos e os passivos _____
_____
_____

c) Andar para trás como _____. | elefante | tartaruga | caranguejo | lesma |
Há três anos que és subgerente num _____
_____
_____

d) Ter uma cintura de _____. | abelha | mariposa | borboleta | vespa |
A avó dela é irlandesa. Na década de 1960 foi modelo em _____
_____
_____

e) Passar (ou ir) de _____ para burro. **cavalo** **camelo** **cervo** **veado**

Depois dos hotéis luxuosos de Singapura, os da Mongólia pareciam um _____

Foi _____ ! _____

_____

f) Ser uma _____. **pulga** **lagarta** **libélula** **melga**

A nora do Tiago, a Isabel, tem um carácter insuportável. Cada dia ela _____

_____

_____

g) Mandar pentear _____. **gorilas** **macacos** **ouriços** **esquilos**

— Diz-me com quem namoras agora, Manuela!

— Não quero revelar o nome dele.

_____

_____

_____

h) Ser manso como um _____. **bezerro** **cordeiro** **cabrito**

Os gémeos, o Manuel e o Pedro, são tão calmos, _____

_____

_____

i) Ser má como as _____. **víboras** **cobras** **serpentes**

A sogra dela é malvada e cruel. E mais, eu diria que _____

_____

_____

j) Ser _____ de biblioteca. **ratazana** **rato** **barata** **aranha**

Passas todo o tempo a estudar. Não sais nem _____

_____

_____

k) Voltar à _____ -fria. **rã** **vaca** **lagarto** **coruja**

Chega de _____

_____

_____

 **O CORPO HUMANO**

1 **Complete as frases com as palavras indicadas.**

bocas	braços	cabeça	calcanhares	coração	costas	cotovelos

cérebro	língua	mão	olhos	orelhas	pés	unha

a) "Ficar de _____ cruzados" significa ficar sem fazer nada, não tomar iniciativa.

b) "Não chegar aos _____ de alguém" significa ser-lhe muito inferior ou pior.

c) "Ter as _____ quentes" significa estar bem protegido.

d) "Falar com o _____ na boca" significa falar com sinceridade.

e) "Fazer uma lavagem ao _____" significa convencer, fazer pensar de outro modo ou abrir os olhos para algo.

f) "Ser _____ com carne" significa ser íntimo, inseparável, unido.

g) "Fazer _____ moucas" significa fingir que não ouve, fazer-se de surdo.

h) "Falar pelos _____" significa falar muito, tagarelar.

i) "Dar de _____ beijada" significa dar de uma forma fácil.

j) "Andar nas _____ do mundo" significa que todos falam de algo, de alguém.

k) "Não ter _____ nem _____" significa uma coisa disparatada, que não tem nenhum sentido.

l) "Saber na ponta da _____" significa saber perfeitamente.

m) "Custar os _____ da cara" significa ser muito caro.

2 **Complete as frases com as expressões do exercício anterior.**

a) Quando pedi à Joana para me ajudar a fazer o exercício, ela _____ e mudou de assunto.

b) Sendo o pai, reitor da Academia Naval, e a mãe, presidente da companhia petrolífera Euronafta, a Tatiana está bem protegida, ou seja, _____.

c) Ele é um artista dotado e, ainda por cima, trabalhador. Nenhum de vocês _____.

d) Não consigo aturá-la mais de cinco minutos porque ela _____!

e) Todos nós estivemos atarefados nos dias precedentes à boda, só a sogra da Catarina é que _____.

f) Este rapaz é uma pessoa muito sincera: _____ sempre _____.

g) Tu e a Sara _____. Trabalham no mesmo departamento, viajam juntas. Será possível que nunca se aborreçam?

PARTE 1

h) Senhores! Todos os argumentos apresentados contra a redução dos impostos e taxas
_____.

i) Pobre mulher! As sovas de que era alvo, as constantes traições, e dívidas exorbitantes do marido, o escandaloso divórcio. É claro que o Igor _____.

j) Depois de me ter formado quis mudar-me para a Cidade do Cabo, mas o meu tio _____ e fiquei em Cracóvia.

k) A Rita estuda pouco, mas _____ sempre a matéria _____ .

l) És um felizardo! A tua tia _____ tudo _____. Herdaste um palacete em Londres, um apartamento de luxo em Copenhaga e um iate em Atenas!

m) O vestido de noiva da minha filha foi caríssimo, _____-me _____.

3 **Escolha a palavra correta e explique o significado dos provérbios.**

a) **Palma**   **Mão**   **Dedo**   _____ de mestre não suja ferramenta.
_____
_____

b) Quem tem _____ vai a Roma.   **língua**   **pés**   **boca**
_____
_____

c) Longe da vista, longe _____.   **da cabeça**   **do coração**   **dos olhos**
_____
_____

d) Cada _____, sua sentença.   **boca**   **cabeça**   **testa**
_____
_____

e) **Pelas guelras**   **Pela escama**   **Pela boca**   _____ morre o peixe.
_____
_____

f) Vão-se os anéis, fiquem _____.   **as unhas**   **os dedos**   **os ossos**
_____
_____

4 **Escolha o verbo apropriado e explique o significado das expressões.**

a) **Saber** **Conhecer** **Ver** _____ como a palma da mão.

_____

_____

b) Vir de mãos a _____. **abanar** **sacudir** **tremer**

_____

_____

c) Não _____. **estender** **arrastar** **dar o braço a torcer**

_____

_____

d) **Dizer** **Falar** **Narrar** _____ nas costas.

_____

_____

e) **Dar** **Tender** **Retirar** _____ a mão à palmatória.

_____

_____

f) **Levantar** **Baixar** **Encolher** _____ os ombros.

_____

_____

g) **Ter** **Ver** **Dar** _____ dedo.

_____

_____

h) **Puxar** **Virar** **Torcer** _____ pela cabeça.

_____

_____

i) **Roçar** **Bater** **Tocar** _____ com o nariz na porta.

_____

_____

j) **Rapar** **Cortar** **Queimar** _____ as pestanas.

_____

_____

5 **Complete as frases com as expressões do exercício anterior.**

a) O teu comportamento é detestável: primeiro, sorris à professora e, depois, _____ dela.

b) A Ana sabe o que a Paula pretende; _____ .

c) Os dirigentes do partido da esquerda _____ . Admitiram que a coligação com o partido da direita foi um erro imperdoável.

d) O André é uma pessoa incisiva, de opinião firme. Por isso, _____ na questão dos nossos terrenos perto de Nápoles.

e) Quando tento provar-lhe alguma coisa, a Augusta _____ e vai-se embora.

f) O Jorge nunca teve lições de culinária, mas, apesar disso, ele _____ para a cozinha.

g) Durante o encontro, o Ministro das Finanças mostrou-se intratável e inflexível. Os chefes do movimento sindical _____ .

h) Ao irmos às oito da manhã para a clínica veterinária da Lapa, _____ .

i) Coitado do Ricardo! Andou cinco anos na faculdade a _____ e agora está no desemprego.

j) Para resolver estas palavras-cruzadas tenho de _____ .

6 **Complete as frases com as palavras indicadas.**

boca	cara	cotovelo	língua	mão	nariz

papo	perna	pé	queixo	tripas

a) "Bater o _____ " significa ter muito frio.

b) "Fazer das _____ coração" significa suportar algo ou alguém corajosamente.

c) "Estar/Ficar de _____ atrás" significa estar/ficar desconfiado.

d) "Estar com a _____ na massa" significa estar a tratar de um assunto, resolver um problema.

e) "Ficar de _____ aberta" significa ficar muito surpreendido.

f) "Ter dor de _____ " significa ter inveja.

g) "Chegar a mostarda ao _____ " significa ficar zangado.

h) "Fazer com uma _____ às costas" significa fazer com facilidade.

i) "Estar com _____ de caso" significa estar apreensivo, preocupado.

j) "Dar com a _____ nos dentes" significa denunciar, revelar um segredo.

k) "De _____ para o ar" significa estar sem fazer nada, estar a descansar.

7 **Complete as frases com as expressões do exercício anterior.**

a) — Estela, temos que arrumar o sótão.

— Já _____.

b) Depois da guerra, os nossos pais trabalhavam 13 horas por dia. _____, mas puderam dar-nos a formação devida.

c) — Desde que fui promovida, elas não falam comigo nem me cumprimentam.

— Acho que _____.

d) Sempre que eu o acusava de mentiroso _____-lhe _____.

e) Ele prega, fura, solda e serra sem quaisquer problemas. _____ tudo _____.

f) Como não havia aquecimento central, nós _____ nos dias de maior frio.

g) Quando lhe contei quem era o noivo da Elisa, _____.

h) Apesar de não se ter encontrado a prova da fraude, o Carlos e a Leila _____.

i) Aquele apartamento tinha algo de errado. Por isso, _____ e não o aluguei.

j) Quando vou de férias para um bom *resort* é mesmo para descontrair: fico todo o tempo _____.

k) Pedi-lhe segredo, mas não se conteve e _____.

8 **Assinale a resposta correta.**

a) Com a boca na botija.

☐ 1. em flagrante

☐ 2. às furtadelas

☐ 3. de bêbedo

b) Não pregar olho.

☐ 1. não conseguir cravar

☐ 2. não conseguir dormir

☐ 3. não conseguir rezar

c) Pôr os cabelos em pé.

☐ 1. divertir

☐ 2. dececionar

☐ 3. assustar

d) Dar com a língua nos dentes.

　☐ 1. guardar um segredo

　☐ 2. revelar um segredo

　☐ 3. saber um segredo

e) De trás da orelha.

　☐ 1. excelente

　☐ 2. ruim

　☐ 3. bom

f) Ficar a chuchar no dedo.

　☐ 1. acalmar-se

　☐ 2. ofender-se

　☐ 3. ver malograda uma expectativa

g) Com uma mão à frente e outra atrás.

　☐ 1. de folga

　☐ 2. na pobreza

　☐ 3. em desmaio

h) De pelo na venta.

　☐ 1. pessoa feia

　☐ 2. pessoa de mau génio

　☐ 3. pessoa irada

i) Não ter papas na língua.

　☐ 1. ser astuto

　☐ 2. ser pérfido

　☐ 3. ser frontal

9 Complete as frases com as expressões do exercício anterior.

a) A Lurdes _____ e disse tudo o que achava dessa conduta.

b) Quando entrei na sala de jantar, os miúdos estavam a comer os biscoitos. Apanhei-os

_____.

c) Todos receberam os diplomas de honra, somente eu _____.

d) Ela não conseguiu _____ a noite toda devido ao barulho dos vizinhos.

e) As meninas não conseguiram conter-se e _____.

f) Andas sempre a contar histórias de _____.

g) No centro de Munique há restaurantes com cerveja _____.

h) Depois de ter fechado o restaurante no centro de Salónica, toda a família está

_____.

i) Nunca conto os meus êxitos na presença dela. É uma mulher _____.

10 Complete as frases com as expressões indicadas.

| ao pé | de/em pé | do pé para a mão | em mão |
| fora de mão | no pé | pela mão | pé ante pé |

a) _____ em que as coisas se encontram, não julgo ser necessário justificar a minha conduta.

b) Nas festas na casa dos meus tios fico sempre sentado _____ do primo Rui.

c) Estávamos à espera da abertura da mercearia quando vimos o elétrico chocar com o autocarro que vinha _____.

d) O raptor entrou na casa, no quarto das crianças, _____.

e) Era a minha tia Miriam que me levava _____ para o infantário.

f) O carteiro entregou-me aquela encomenda _____.

g) Os programadores indianos aceitaram a proposta do Sr. Leitão _____. Ele nem estava muito confiante.

h) Estava uma multidão na conferência. Fiquei todo o tempo _____.

11 Complete as expressões com as palavras indicadas. Faça a correspondência com o respetivo significado.

| barba | boca | coração | costas | garganta |
| língua | mão | olhos | osso | |

a) Deitar poeira aos _____.

☐ 1. Dar muito trabalho, oferecer dificuldades.

b) Sete cães a um _____.

☐ 2. Ser sincero.

c) Dar água pela _____.

☐ 3. Haver muitos pretendentes a uma coisa ou pessoa.

d) Estar debaixo da _____.

☐ 4. Arcar com todas as responsabilidades.

e) Fugir a _____ para a verdade.

☐ 5. Tentar lembrar-se de alguma coisa, estar prestes a dizer algo.

f) Ficar com um nó na _____.

☐ 6. Dizer a verdade sem querer.

g) Ter _____ em...

☐ 7. Controlar, dominar.

h) Ter as _____ largas.

☐ 8. Iludir, enganar.

i) Ter o _____ ao pé da boca.

☐ 9. Estar emocionado, comovido.

12 **Complete as frases com as expressões do exercício anterior.**

a) O Conservatório tem uma vaga para professor de piano, mas são _____.

b) A Diana é uma pessoa muito perigosa. _____-te _____ e depois dá--te uma punhalada nas costas.

c) Cada vez que vejo os filmes de Pedro Almodóvar _____.

d) Qual é o nome deste filósofo dinamarquês? Tenho o nome _____. Já me lembro: Søren Kierkegaard!

e) O novo emprego da Vitória na companhia de seguros _____-lhe _____.

f) A empregada queria dissimular os factos, mas _____-lhe _____.

g) Que força moral! Se ela não _____ não teria atingido tal nível.

h) Todos nós simpatizávamos com o nosso jardineiro porque ele _____.

i) És o diretor dessa turma tão complicada. Como é que consegues _____ nos alunos?

AS PESSOAS

1 **Substitua a expressão sublinhada pela correspondente na coluna da direita.**

a) Durante a crise, o Ministro das Finanças conseguiu cumprir a difícil missão. Pouco tempo depois, tornou-se primeiro-ministro.

☐ 1. Ver-se grego

b) A conduta do diretor do orfanato e dos seus subordinados foi apenas fachada.

☐ 2. Sem rei nem roque

c) O Parlamento continua a ser surdo à indignação da população, adotando essa atitude tão polémica.

☐ 3. Menino da mamã

d) O Pierre tem dezoito anos. Ele é <u>mimado pela sua mãe</u>.

☐ 4. Amigo de Peniche

e) No domingo passado <u>tive muita dificuldade</u> para resolver o exercício de matemática.

☐ 5. Ser um fala-barato

f) O teu parceiro, o Radu, é <u>desleal, não merece confiança</u>.

☐ 6. Levar a carta ao Garcia

g) Estou cansada do Pedro. <u>Fala muito e diz tantos disparates</u>.

☐ 7. Viúva alegre

h) Esta organização <u>está sem governo</u>.

☐ 8. Ser um troca-tintas

i) Bem se vê que a Luísa estava farta do marido; anda com uma cara de <u>quem não tem sofrimento pelo falecido</u>.

☐ 9. Do tempo dos Afonsinhos

j) O Alfredo continua a usar aquele casaco castanho, todo gasto, que já deve ser <u>muito velho e está fora de moda</u>.

☐ 10. Para inglês ver

k) Não se pode confiar no Manuel nem acreditar no que ele diz, porque ele é uma <u>pessoa que muda de opinião com frequência</u>.

☐ 11. Fazer ouvidos de mercador

l) O Alberto <u>não tem dinheiro ou finge que não o tem</u>! Quando sai connosco arranja sempre uma desculpa para não levar o carro e, por vezes, somos nós a ter de lhe pagar o jantar, pois diz que se esqueceu da carteira.

☐ 12. Ser um pendura

2 **Explique o significado dos provérbios e expressões.**

a) Tal pai, tal filho.

_____

_____

b) Rei morto, rei posto.

_____

_____

c) Homem de sete ofícios, em todos é remendão.

_____

_____

 **A CASA**

1 **Complete as frases com as palavras indicadas.**

barraca	brasas	garfo	eira	faca	fio	lençóis
loiça	parafuso	parede	poleiro	porta	porta	rolha

a) "Passar pelas _____" significa dormir um pouco.

b) "Dar _____" significa provocar, armar escândalo.

c) "Surdo como uma _____" significa muito surdo.

d) "É outra _____" significa melhor qualidade.

e) "Estar em maus _____" significa estar em situação difícil.

f) "Falar de _____" significa falar autoritariamente, com arrogância.

g) "Ser um bom _____" significa apreciar a comida.

h) "Não ter _____ nem beira" significa ser muito pobre.

i) "Estúpido como uma _____" significa muito estúpido.

j) "Atirar o barro à _____" significa sondar a disposição de outrem, para se tentar alcançar um fim.

k) "De cortar à _____" significa ambiente impenetrável, pesado.

l) "Cascos de _____" significa muito longe.

m) "De _____ a pavio" significa inteiramente, completamente.

n) "Entrar em _____" significa descontrolar-se.

2 **Complete as frases com as expressões do exercício anterior.**

a) O António _____ quando a comissão descobriu o plágio na sua tese.

b) A mulher do nosso consultor fiscal é _____. Como é que ele consegue cozinhar todos os dias para ela?

c) Depois do almoço, gosto de _____. É tão reconfortante!

d) A minha vizinha Pilar é _____, mas não quer comprar o aparelho auditivo. Que teimosa!

e) A nova diretora da sucursal do banco é pouco competente. Hoje já é a segunda vez que _____. Receio imaginar o que se vai passar amanhã.

f) Quando ouço o Lars a _____, só me apetece estrangulá-lo!

g) Eu pensava que o Sauli morava no centro de Helsínquia, mas, depois, soube-se que vivia em _____.

h) Ao contrário do serviço nos restaurantes de Luanda, o serviço dos restaurantes do Cairo _____.

i) A Regina decorou o poema "Cântico Negro" de José Régio e recita-o _____.

j) Encontrámos um estudante afegão, de Cabul, sem _____. Agora todos nós o ajudamos.

k) Como a Marisa quer que a convidemos para a casa de praia, começou a dizer que não sabe onde passar as férias; está a _____, a ver se pega.

l) O ambiente entre colegas, naquele departamento, estava _____: ninguém dirigia a palavra a ninguém.

m) O Diogo não percebeu nada do que eu estava a explicar? Coitado, é _____.

n) Vendo-se insultada injustamente, a jornalista _____ e começou a gritar.

3 Explique o significado dos provérbios e expressões.

a) Casa roubada, trancas à porta.

_____

_____

b) Em casa de ferreiro, espeto de pau.

_____

_____

c) Santos da casa não fazem milagres.

_____

_____

d) Em casa onde não há pão, todos ralham e ninguém tem razão.

_____

_____

e) Casamento, apartamento.

_____

_____

f) Se queres bem casar, teu igual vai procurar.

_____

_____

g) Antes que cases, vê o que fazes.

_____

_____

O VESTUÁRIO

1 **Assinale a resposta correta.**

a) Dar à sola.

☐ 1. gastar

☐ 2. fugir

☐ 3. reparar

b) Andar nos trinques.

☐ 1. bem vestido

☐ 2. mal vestido

☐ 3. nu

c) Falar com os seus botões.

☐ 1. ser maluco

☐ 2. gostar de flores

☐ 3. falar consigo próprio

d) Dar luvas.

☐ 1. subornar

☐ 2. desafiar

☐ 3. consentir

e) Dar graxa.

☐ 1. untar

☐ 2. tingir

☐ 3. lisonjear

f) Meter num chinelo.

☐ 1. esconder

☐ 2. inserir

☐ 3. vencer

g) Enfiar o barrete.

☐ 1. enganar

☐ 2. vestir-se

☐ 3. percorrer

h) Sacudir a água do capote.

☐ 1. eximir-se a responsabilidades

☐ 2. limpar-se

☐ 3. encolerizar-se

i) Perder o fio à meada.

☐ 1. desfiar

☐ 2. esquecer-se do que estava a dizer

☐ 3. cessar de tricotar

j) Estar com uma pedra no sapato.

☐ 1. ser penoso

☐ 2. estar irritado

☐ 3. estar desconfiado, receoso

2 Complete as frases com as expressões do exercício anterior.

a) Não acredito que o Paulo tenha sido capaz de _____ aos auditores.

b) Não é fácil _____ àquele rapaz. É bastante perspicaz.

c) Perguntámos-lhe o que é que ela preferia, mas a Sofia estava a _____.

d) Os criminosos _____ logo que ouviram a sirene do carro da polícia.

e) Apesar da sua idade, a Margarida pode _____ qualquer pessoa no que toca a conhecimentos sobre história medieval.

f) O Carlos e o José estão sempre a _____ ao chefe do departamento financeiro.

g) Desculpa, _____. Ah, sim, havia cerca de duzentos convidados no casamento.

h) Esta modelo brasileira não gosta de roupas simples, por isso, _____.

i) Acusaram o Rui de ter incitado os colegas a fazer greve, mas ele, confrontado com a situação, tentou _____.

j) O primeiro-ministro bem tenta convencer o povo de que a situação do país está estável, mas todos _____ em relação ao que ele diz.

3 **Explique o significado dos provérbios e expressões.**

a) Vão-se os anéis, fiquem os dedos.

_____

_____

b) No melhor pano cai a nódoa.

_____

_____

c) Roupa suja lava-se em casa.

_____

_____

d) Ir à lã e ser tosquiado.

_____

_____

e) Cada qual sabe onde lhe aperta o sapato.

_____

_____

4 **Escolha a palavra correta, explique o seu significado e construa uma ou duas frases utilizando as expressões.**

a) Receber _____.   **luvas**   **chapéus**   **óculos**   **lenços**

Diz-se que o ex-Ministro dos Negócios Estrangeiros _____

_____

b) Apertar _____.   **a correia**   **o cinto**   **os cordões**

A crise financeira provocou desemprego no Sul da Europa _____

_____

c) Cortar na _____.   **camisa**   **gola**   **casaca**   **manga**

A Rebeca é uma verdadeira mexeriqueira _____

_____

d) Saber as linhas com que _____.   **se tece**   **se borda**   **se cose**

Os meus amigos trabalham na Televisão Estatal _____

_____

e) Ser de se lhe tirar _____.   **o chapéu**   **o boneco**   **o xaile**   **a capa**

À beira do Douro, em Vila Nova de Gaia, estão localizadas as famosas caves do vinho do Porto _____

_____

f) Descalçar _____.   **o escarpim**   **a sapatilha**   **a bota**   **a sandália**

Estou num beco sem saída _____

_____

g) Juntar um pé de _____.   **peúga**   **meia**   **collants**   **calças**

O bisavô dela foi fazendeiro em Minas Gerais _____

_____

h) Língua de _____.   **andrajos**   **trapos**   **farrapos**

Não gosto de uma das amigas da _____

_____

OS ALIMENTOS

1 **Complete as frases com as palavras indicadas.**

azeite	**canja**	**cepa**	**colherada**	**esponja**
esturro	**farinha**	**frito**	**garfo**	**uvas**

a) "Chão que deu _____" significa fonte de proveitos ou negócio que foi rentável.

b) "É _____" significa que algo é muito fácil.

c) "Beber como uma _____" significa beber muito.

d) "Estar _____" significa estar sem saída, numa má situação.

e) "Cheirar a _____" significa que o assunto ou o caso está malparado.

f) "Meter a sua _____" significa meter o nariz em algo, interferir.

g) "Não fazer _____" significa não se entender.

h) "Ser um bom _____" significa apreciar comer muito bem, ser um bom comedor.

i) "Apagar o fogo com _____" significa provocar mais irritação.

j) "Não sair da _____ torta" significa não mudar, não progredir.

2 **Complete as frases com as expressões do exercício anterior.**

a) Apesar de quereres conquistar o Orlando, não _____ com a família dele.

b) Quando os meus netos vieram pedir mais dinheiro, _____-me _____.

c) A nossa vizinha, a Aurélia, _____ sempre _____ no que não lhe diz respeito.

d) Aprender italiano? _____!

e) Há vinte e cinco anos, a escola de dança _____. Mas agora já não é assim.

f) O meu cunhado _____! Come imenso, mas não engorda.

g) Sem os cartões de crédito do teu pai _____. Temos de reduzir os gastos.

h) Nestas condições obsoletas, a empresa _____. Sentimo-nos frustrados.

i) O Diogo _____ e com isso está a prejudicar a saúde.

j) O Zé queria ajudar-me, mas quando tentou persuadir a Liliana a deitar fora estas coisas foi o mesmo que _____.

3 **Relacione as frases das duas colunas e forme provérbios conhecidos. Explique o seu significado.**

a) Quando o mar bate na rocha,　　1. para quem o há de comer.

b) Não ponhas todos os ovos　　2. vive o homem.

c) Dá Deus as nozes　　3. quem se lixa é o mexilhão.

d) Não se chora　　4. mesa desfeita.

e) Guardado está o bocado　　5. todos ralham e ninguém tem razão.

f) Cautela e caldo de galinha　　6. queijo, queijo.

g) Não se fazem omeletas　　7. no mesmo cesto.

h) Comida feita　　8. a quem não tem dentes.

i) Nem só de pão　　9. não petisca.

j) Nem tudo o que vem à rede　　10. nunca fizeram mal a ninguém.

k) Casa onde não há pão,　　11. pelo/sobre o leite derramado.

l) Pão, pão,　　12. sem ovos.

m) Quem não arrisca　　13. que o sebo.

n) Sai mais cara a mecha　　14. é peixe.

o) Pão mole,　　15. depressa se engole.

p) Se os "se" fossem feijões,　　16. ninguém morria à fome.

a) _____

b) _____

c) _____

d) _____

e) _____

f) _____

g) _____

h) _____

i) _____

j) _____

k) _____

l) _____

m) _____

n) _____

o) _____

p) _____

4 Faça corresponder as seguintes expressões aos respetivos significados.

1. De meia-tigela
2. Misturar alhos com bugalhos
3. Pagar as favas
4. Estar com os azeites
5. Puxar a brasa à sua sardinha

6. Ficar a pão e laranjas
7. Ter a faca e o queijo na mão
8. Pisar ovos
9. Ter o caldo entornado
10. Estar fresco como uma alface

a) Estar maldisposto.

_____

b) Malogro, plano desmanchado.

_____

c) Agir com precaução.

_____

d) Sofrer as consequências do que foi feito por outros.

_____

e) De pouco valor, de qualidade duvidosa, medíocre.

_____

f) Dominar uma situação.

_____

g) Confundir as coisas.

_____

h) Defender os interesses pessoais.

_____

i) Nada cansado, com bom aspeto.

_____

j) Ficar quase na miséria.

_____

5 **Complete as frases com as expressões do exercício anterior.**

a) A situação no corpo de docentes era muito grave. Cada um _____.

b) Desde criança que o meu irmão fazia asneiras e era eu quem _____.

c) Na hora de distribuir os papéis, não se pode _____. Uma coisa é o talento, outra coisa é a experiência.

d) O médico de serviço que nos atendeu era _____. No dia seguinte, dirigimo-nos a uma clínica privada.

e) Hoje a minha sobrinha _____. Não há remédio!

f) — O Júlio confessou ao juiz de instrução que ele mesmo tinha furtado o colar!
   — Agora temos o _____!

g) Desde que compraram uma casa nos arredores de Genebra, eles _____. Que imprudência!

h) Perante tais circunstâncias, elas precisavam de _____. Ninguém sabia como se comportar.

i) Agora nada te impede de agir: _____!

j) O João tem uma enorme resistência física! Depois de uma semana tão difícil e intensa de treinos sente-se _____.

O DINHEIRO

1 **Faça corresponder as seguintes expressões aos respetivos significados.**

1. Fazer contas à moda do Porto

2. Deitar dinheiro à rua

3. Viver às custas de alguém

4. Pagar na mesma moeda

5. Trabalhar para o boneco

6. Ter dinheiro como milho

a) Viver por conta de outrem.

_____

b) Desenvolver atividades sem obter lucros ou vantagens.

_____

c) Cada um paga a sua parte.

_____

d) Gastar muito ou em vão.

_____

e) Desforrar-se de maneira igual.

_____

f) Ter muito dinheiro.

_____

2 **Complete as frases com as expressões do exercício anterior.**

a) O Heitor comprou novas canas de pesca, anzóis e redes. Isso foi o mesmo que _____, pois não foi à pesca nem uma vez.

b) Estás a _____. Como é que vais pagar a hipoteca?

c) A Maria ficou a saber que foi a Fátima a autora da denúncia anónima. Agora, a Maria _____.

d) Apesar de serem maiores de idade, os filhos do Eduardo _____ dele.

e) Xana, deixa de ser generosa com os teus amigos. Tens de começar a _____!

f) O Zé faz uma vida de estadão porque _____!

3 **Explique o significado dos provérbios e expressões.**

a) Amigos, amigos, negócios à parte.

_____

_____

b) A rico não devas e a pobre não prometas.

_____

_____

c) Dinheiro atrai dinheiro.

_____

_____

d) Poupa o teu vintém e um dia serás alguém.

_____

_____

e) Enquanto há dinheiro, há amigos.

_____

_____

f) Dinheiro não tem cheiro.

_____

_____

g) Onde o dinheiro fala tudo se cala.

_____

_____

h) Tempo é dinheiro.

_____

_____

i) Dinheiro, assim como veio, assim vai.

_____

_____

j) Tostão a tostão faz um milhão.

_____

_____

4 **Substitua a expressão sublinhada pela correspondente na coluna direita.**

a) O meu marido gasta muito.

b) Acabo de comprar uma bicicleta. Foi muito barata.

c) O nosso jantar de ontem foi excessivamente caro.

d) Depois de termos pagado a fatura estamos sem dinheiro.

e) Mesmo que tivesses dinheiro não mo darias porque és avarento.

f) O comércio do tecido italiano deu à família Morais bom lucro.

☐ 1. Ser um forreta

☐ 2. Estar liso

☐ 3. Ser um mãos-rotas

☐ 4. Um negócio da China

☐ 5. Ser uma pechincha

☐ 6. Ser um roubo

 **A SAÚDE**

1 **Complete as frases com as palavras indicadas. Explique o seu significado.**

cova	faca	guelra	pés	pinga

rabo	sangue	seringa	veias

a) Quando o Hugo viu tal injustiça, ferveu-lhe o sangue nas _____.

b) Os implantes dentários não se integraram. Volto a ir à _____.

c) A bisavó dela está com os _____ para a _____. Tem 102 anos!

d) Este patinador russo tem sangue na _____. É muito enérgico.

e) Quando comunicaram no noticiário o acidente aéreo, a Joana ficou sem _____

de _____.

f) Cada vez que o chamo para me ajudar na horta ou no campo, foge com o _____

à _____.

2 **Escolha a palavra correta, explique o seu significado e construa uma ou duas frases utilizando as expressões.**

a) Vender _____.   **saúde** **energia** **força**

O meu avô foi vencedor dos Jogos Olímpicos de 1960 na modalidade de _____

_____

b) **Derrubar** **Tocar** **Chocar** _____ uma doença.

Desde ontem que tenho dor de cabeça _____

_____

c) Tratar da _____.   **doença** **gripe** **saúde**

Se te vir outra vez em _____

_____

 **AS CORES**

1 Complete as frases com as palavras indicadas e explique o significado das expressões.

amarelo	azul	branca	claro/branco	cor-de-rosa	negra
negro	preto	roxa	verde	verdes	vermelho

a) Conheço-o melhor do que os demais. O Pedro nunca revela os seus sentimentos verdadeiros. Reage sempre com um sorriso _____.

_____

b) Eu e a Maria tremíamos como varas _____. A simples ideia de descer a montanha por uma vereda estreita, no crepúsculo, enchia-nos de medo.

_____

c) — Achas que essas calças de ganga me ficam bem?
— Ficam ouro sobre _____!

_____

d) Na véspera do voo, elas passaram a noite em _____.
Em compensação, na primeira noite em Bucareste, dormiram como uma pedra.

_____

e) Senhor Andrade, porque é que o departamento de compras não adquiriu, na semana passada, os cabos, as fitas adesivas, os agrafos e os tinteiros para as impressoras? No meu último e-mail pus tudo isso _____ no branco!!!

_____

f) A Úrsula tem sonhos _____. Não se casará com o filho do embaixador porque ele é um mulherengo inveterado.

_____

g) O governo finlandês deu luz _____ ao resgate financeiro da zona euro.

_____

h) A Marina é muito estranha: ficou _____ de inveja quando viu as joias e os vestidos da Eugénia.

_____

i) Ambos os gerentes deram-me carta _____ a respeito da decoração de Natal das nossas lojas no Porto.

_____

j) Se bem que os médicos não lhe tivessem detetado células cancerígenas, a Olga estava deprimida e via tudo _____.

_____

k) A situação económica já é caótica e os ministros, com toda aquela ostentação e pessimismo, ainda tornam a coisa mais _____.

_____

l) Quando a tia lhe mostrou as molduras partidas, o menino ficou _____ de vergonha.

_____

OS NÚMEROS

1 **Faça corresponder as seguintes expressões aos respetivos significados.**

1. Dizer meia dúzia de verdades
2. Voltar à estaca zero
3. Estar nas suas sete quintas
4. Ser um zero à esquerda

a) Ser uma nulidade.

_____

b) Estar num ambiente que conhece bem, numa situação agradável.

_____

c) Recomeçar, voltar ao princípio.

_____

d) Falar sem rodeios, dizer tudo na cara.

_____

2 **Complete as frases com as expressões do exercício anterior.**

a) — Então, o que é que encontraram?

— Nada! O Tiago _____, não sabe pesquisar na Internet!

b) — Alguém apagou todos os nossos ficheiros!

— Será que temos de _____?

c) Na véspera da sua demissão, o Afonso _____ aos chefes. Depois, sentiu-se aliviado.

d) A Dilma sempre quis tornar-se geóloga. Nessa matéria _____.

3 **Escolha o número correto e explique o significado das expressões.**

a) Fechar a _____ chaves.   **6**   **7**   **8**   **9**

_____

b) Fugir a _____ pés.   **2**   **4**   **7**   **12**

_____

c) Dar _____ dedos de conversa.   **2**   **4**   **5**   **10**

_____

d) Pintar o _____.   **3**   **6**   **7**   **13**

_____

e) Arranjar um _____.   **21**   **31**   **41**   **81**

_____

4 **Complete as frases com as expressões do exercício anterior.**

a) Antes de sair da escola, eu _____ com a porteira.

b) Quando vou viajar deixo a porta de casa _____.

c) Ao intrometer-se nos problemas da sogra, a Clara _____; agora a sogra proibiu--a de frequentar a sua casa.

d) Ao ver a porta abrir-se, ela _____.

e) Naquela discoteca, um grupo de adolescentes _____ e foram obrigados a abandonar o local.

5 **Escolha o número correto e explique o significado dos provérbios.**

a) Homem prevenido vale por _____.   **2**   **5**   **10**   **100**

_____

b) Perdido por cem, perdido por _____.   **10**   **100**   **1000**

_____

c) De tostão em tostão vai-se ao _____ . | milhar | milhão | bilhão |

d) | 10 | 100 | 1000 | _____ amigos é pouco, um inimigo é muito.

e) | 3 | 4 | 6 | 10 | _____ olhos veem mais do que dois.

f) Não há duas sem _____ . | 3 | 4 | 12 | 22 |

A MÚSICA

1 **Complete as frases com as palavras indicadas.**

| baile | cantiga | cantiga | galo | lamiré |
| música | música | trombone | viola | vitória |

a) "Cantar a mesma _____" significa repetir, insistir no mesmo.

b) "Meter a _____ no saco" significa calar-se, recuar aceitando outra opinião.

c) "Levar um _____" significa ser gozado, ser alvo de troça.

d) "Cantar de _____" significa mandar, comandar.

e) "Dar o _____" significa dar uma pista, indicar uma solução.

f) "Dar _____" significa enganar, iludir.

g) "Cantar _____" significa vangloriar-se, gabar-se de ter conseguido algo.

h) "Dançar conforme a _____" significa agir conforme as circunstâncias.

i) "Pôr a boca no _____" significa revelar o que foi dito.

j) "Deixar-se ir na _____" significa deixar-se convencer.

2 **Complete as frases com as expressões do exercício anterior.**

a) A seleção coreana de esgrima _____ da seleção sueca nos Jogos Olímpicos.

b) A Irene já vinha a _____ . Ela tinha obtido tudo o que queria.

c) Desde que passou a viver junto com o namorado, começou a _____ .

d) A avó está sempre a _____ . Já não aguento mais.

e) Depois de apenas cinco minutos de discussão, a Cristina _____ e foi-se embora.

f) Como eu não sabia por onde começar, o meu orientador _____-me _____.

g) Já te conheço. Estás a _____-me _____. Vai-te embora!

h) Não se pode contar nada à Sílvia; contam-lhe um segredo e ela _____ logo _____.

i) O Nuno é um sedutor; as miúdas acham-no muito engraçado e _____.

j) O Joaquim queria comprar um trompete alemão mas teve de _____ e comprou um muito mais barato.

3 **Explique o significado dos provérbios.**

a) Quem canta, seus males espanta.

_____

_____

b) Quem tem unhas, toca guitarra.

_____

_____

A MORTE E A RELIGIÃO

1 **Substitua a expressão sublinhada pela correspondente na coluna direita.**

a) A Rosa não se zangará contigo. É inofensiva e muito calma.

b) Deixa-o em paz. Ele mete dó.

c) Não posso fazer milagres. Sou um homem comum.

d) No claustro do mosteiro não havia ninguém.

e) A filha dela é uma criança irrequieta e insuportável.

f) Vives sem pensar no futuro.

g) O trabalho é fácil. Faço-o num instante.

h) No almoço de aniversário da mãe, o António, que é um glutão, comeu demasiado.

☐ 1. Enquanto o diabo esfrega um olho

☐ 2. Como um abade

☐ 3. Ser um pobre diabo

☐ 4. Paz de alma

☐ 5. Ao deus-dará

☐ 6. Não ser nenhum santo

☐ 7. Levada dos diabos

☐ 8. Vivalma

2 **Explique o significado dos provérbios.**

a) Bem prega Frei Tomás. Faz o que ele diz não faças o que ele faz.

_____

_____

b) De boas intenções está o inferno cheio.

_____

_____

c) Quando Deus não quer, os santos não podem.

_____

_____

d) Deus me defenda do amigo, que do inimigo me defendo eu.

_____

_____

e) Chuva de S. João tira o vinho e não dá pão.

_____

_____

f) Ser mais papista do que o Papa.

_____

_____

g) Quem dá aos pobres, empresta a Deus.

_____

_____

h) O Diabo não é tão mau como o pintam.

_____

_____

i) Ninguém é profeta em sua terra.

_____

_____

j) Dai a César o que é de César e a Deus o que é de Deus.

_____

_____

k) Deus ajuda quem cedo madruga.

_____

_____

3 **Assinale a palavra correta e explique o significado das expressões.**

a) Esticar o

☐ 1. pernil ☐ 2. pé ☐ 3. joelho

_____

_____

b) Fugir como o diabo

☐ 1. do incenso ☐ 2. da cruz ☐ 3. da igreja

_____

_____

c) Não lembrar (nem)

☐ 1. ao diabo ☐ 2. ao santo ☐ 3. a Deus

_____

_____

d) Ser uma dor de

☐ 1. espírito ☐ 2. ânimo ☐ 3. alma

_____

_____

e) Cair no conto do

☐ 1. bispo ☐ 2. vigário ☐ 3. cura

_____

_____

f) Dar um

☐ 1. sermão ☐ 2. juramento ☐ 3. vício

_____

_____

g) Andar com

☐ 1. a prece ☐ 2. a oração ☐ 3. o credo na boca

_____

_____

h) Ainda a procissão vai no

☐ 1. cemitério ☐ 2. adro ☐ 3. claustro

_____

_____

i) Comer o pão que o diabo

☐ 1. amassou ☐ 2. cozinhou ☐ 3. cozeu

_____

_____

j) Não saber da

☐ 1. prece ☐ 2. oração ☐ 3. missa a metade

_____

_____

k) Ir desta para

☐ 1. pior ☐ 2. melhor ☐ 3. fora

_____

_____

4 **Complete as frases com as expressões do exercício anterior.**

a) Ver como a doença rapidamente a transformou numa velha, _____.

b) Todas essas novas leis e regras _____.

c) Ele foi levado para hospital, mas _____ depois de ter sido operado.

d) Muitos idosos _____ e dão aos trapaceiros todas as poupanças.

e) A mulher do Roberto ficou tão indignada que nos _____.

f) Desde o dia em que começaste a sair com essa gente, o pai _____.

g) Nos anos 90, ele saiu dos Camarões e emigrou para a Irlanda. _____ antes de lhe darem a cidadania neste país.

h) Estás convencida de que conheces toda a história do desaparecimento das joias, mas _____.

i) Quando ouvi tudo isso _____.

j) Coitado do meu avô, _____ no dia em que fazia 80 anos!

k) Já estás a fazer planos para a casa nova e _____.

VÁRIOS

1 **Complete as expressões com as palavras indicadas. Faça a correspondência com o respetivo significado.**

Algarve   boleia   cravo   ferradura   fiada   fio

ii   lata   latim   pau   tijolo

a) Passar as passas do _____.　　☐　1. Ter descaramento.

b) Estar a fazer _____.　　☐　2. Durante muito tempo.

c) Dar uma no _____ e outra na　☐　3. Sofrer muito ou passar grandes
_____.　　　　　　　　　　　　　dificuldades.

d) Gastar o seu _____.　　☐　4. Levar alguém de carro.

e) Dar _____.　　☐　5. Ter comportamento ambíguo.

f) Ter _____.　　☐　6. Estar por tudo ou servir para tudo.

g) Horas a _____.　　☐　7. Perder tempo a falar em vão.

h) Ser _____ para toda a colher.　☐　8. Estar morto.

i) Pôr os pontos nos _____.　　☐　9. Conversa banal, sem interesse.

j) Dar conversa _____.　　☐　10. Clarificar tudo muito bem.

2 **Complete as frases com as expressões do exercício anterior.**

a) Não quero _____ contigo. És intransigente e pouco compreensivo.

b) Da última vez que estive em Copenhaga conheci melhor a Gabriela. Falámos _____.

c) Em fevereiro, o John _____: primeiro, morreu o melhor amigo dele, depois, despediram-no.

d) O seu papel neste assunto é ambíguo. Ele não se define, quanto à atitude a tomar: _____.

e) A Mirella _____. Está em todo o lado e sabe fazer tudo.

f) Que insolente que tu és! _____ para dizer ao chefe de orquestra que não estás de acordo com a sua interpretação.

g) A nossa avó diz que _____ no ano que vem. Ela já está muito doente.

h) O Imre não quis _____-me _____ até à entrada do metro. Eu tive de andar à chuva durante quinze minutos.

i) Não compreendo como é que a Fernanda _____ a toda a gente que lhe aparece, já é de mais!

j) Sou uma pessoa muito veemente em tudo o que afirmo e, perante dúvidas, gosto de _____.

3 **Relacione as frases das duas colunas e forme provérbios conhecidos. Explique o seu significado.**

a) Fazer figura   ☐ 1. as amarras.

b) À grande e   ☐ 2. toca o mesmo.

c) Meter o Rossio   ☐ 3. de urso.

d) Dar pontapés   ☐ 4. de cor e salteado.

e) Vira o disco e   ☐ 5. na gramática.

f) Ir de vento   ☐ 6. na Rua da Betesga.

g) Cortar   ☐ 7. à francesa.

h) Saber   ☐ 8. em popa.

i) Chover   ☐ 9. uma cunha.

j) Meter   ☐ 10. no molhado.

a) _____

b) _____

c) _____

d) _____

e) _____

f) _____

g) _____

h) _____

i) _____

j) _____

4 **Complete as frases com as expressões do exercício anterior.**

a) A Amanda _____ com os pais e agora alugou um estúdio no Rato.

b) Ainda tens de estudar muito a língua romena para não _____.

c) Há trinta anos, o nosso negócio do tabaco _____. Mas, presentemente, não há tanta procura.

d) Eles estavam acostumados a viver _____. Tinham até um cozinheiro espanhol e uma aia sueca.

e) – O Ismet sabe os mais minuciosos detalhes sobre a língua turca!
   – É verdade, _____-a _____. Mas também é a língua materna dele.

f) Essa agência quis filmar três anúncios publicitários em dois dias. É o mesmo que querer _____.

g) Júlia, prometes que não falarás mais de política, porque é sempre a mesma conversa: _____.

h) Ontem, durante a conferência de imprensa, o porta-voz do ministério _____ ao dizer que o Rio de Janeiro é a capital do Brasil.

i) Tu conheces tanta gente no Ministério da Educação, vê lá se _____ para o meu filho entrar em Medicina.

j) Todas as vezes que a mãe repreende o filho Pedro, é _____; ele já nem lhe dá atenção e continua a fazer a mesma coisa.

5 **Substitua a expressão sublinhada pela correspondente na coluna da direita.**

a) O tio do Bernardo <u>tem pouco crédito</u>. Eu não teria negócios com ele.

☐ 1. Estar-se nas tintas (para)

b) Já <u>conheço muito bem essa rapariga</u>, não me deixo enganar!

☐ 2. Com conta, peso e medida

c) Os bilhetes de avião para Teerão são <u>muito caros</u>.

☐ 3. Ser troca-tintas

d) Tudo <u>se desenvolve muito bem</u>. Ela já recebeu os seus primeiros honorários.

☐ 4. Mais velho do que a Sé de Braga

e) Não <u>gosto do</u> Alberto, <u>não me entendo com</u> ele.

☐ 5. Andar à toa

f) A história que me contas é <u>muito velha</u>. Já a conheço.

☐ 6. Conhecer à légua

g) <u>Sou indiferente</u> às corridas. Por isso, fico em casa.

☐ 7. Não ir à bola (com)

h) A Eva estava muito deprimida. <u>Andava sem rumo</u> pelas ruas de Belgrado.

☐ 8. Caro como fogo

i) Devemos beber vinho tinto porque faz bem à saúde, mas <u>com moderação</u>.

☐ 9. Engolir em seco

j) O diretor faz exigências desumanas à secretária e ela tem de <u>se calar</u>, porque tem medo de ser despedida.

☐ 10. Correr sobre rodas

6 **Relacione as frases das duas colunas e forme provérbios conhecidos. Explique o seu significado.**

a) A corda quebra

b) O último a rir é

c) Mais vale tarde

d) Uma desgraça

e) Nem aquece,

f) O mundo é um palco e

g) Os gostos

h) Os cães ladram,

i) Há males

j) Diz-me com quem andas,

k) Quem primeiro chega,

l) Nem tudo o que luz é ouro,

m) A ferro quente,

n) A cada um

☐ 1. o que ri melhor.

☐ 2. dir-te-ei quem és.

☐ 3. primeiro é servido.

☐ 4. que vêm por bem.

☐ 5. a caravana passa.

☐ 6. nem arrefece.

☐ 7. sempre pelo lado mais fraco.

☐ 8. nunca vem só.

☐ 9. nós somos os atores.

☐ 10. do que nunca.

☐ 11. aquilo que lhe é devido.

☐ 12. não se discutem.

☐ 13. nem tudo o que alveja é prata.

☐ 14. malha-se de repente.

a) _____

b) _____

c) _____

d) _____

e) _____

f) _____

g) _____

h) _____

i) _____

j) _____

k) _____

l) _____

m) _____

n) _____

7 Complete as frases com as palavras indicadas.

boneco	cavaco	conta	fossa	maravilhas	matar

murcha	nora	obra	ovelha	pinto

a) Acabei de apanhar uma chuvada. Estou molhado como um _____!

b) Tudo corria às mil _____: o José tirava boas notas, o Nuno participava nas competições e a Lélia namorava com o seu futuro marido.

c) Aqui, os requisitos para a legalização do direito de propriedade são tão vagos que andamos à _____ ao apresentarmos os documentos.

d) Quando lhe comunicaram a decisão da comissão, a Anastásia ficou de orelha _____. Foi evidente que esperava outro resultado.

e) Fizeste de _____ que tudo estava bem, mas não conseguiste enganar os teus pais.

f) Ao ouvir as observações críticas do chefe, a Irma levantou-se e foi-se embora sem dar _____.

g) Depois do parto, a Wilma foi-se abaixo psicologicamente, estava na _____. Até lhe deram sedativos.

h) É inútil conversar contigo. Estou a falar para o _____. Não me prestas atenção.

i) Naquela família todos são impecáveis, apenas o Diogo é a _____ ronhosa da família, pois a sua ética é muito duvidosa.

j) A situação conjugal do Pedro é um bico de _____, ele tem de arcar com todas as despesas e a mulher só quer gastar e não quer trabalhar.

k) Naquele frente a frente, o candidato da esquerda entrou a _____; foi mesmo muito agressivo.

8 Complete as expressões com as palavras indicadas. Faça a correspondência com o respetivo significado.

arames	arco	batalha	beicinho	casca	ferro

navios	papéis	paraquedas	patinho	sarilho	seca

a) Cair que nem um _____.
☐ 1. Estar confuso, desorientado.

b) Fazer _____.
☐ 2. Ouvir alguém falar durante muito tempo, ficar entediado.

c) Embandeirar em _____.

d) Armar _____.

e) Apanhar uma _____.

f) Andar aos _____.

g) Dar a _____.

h) Ficar a ver _____.

i) Cair de _____.

j) Ir aos _____.

k) Fazer braço de _____.

l) Cavalo de _____.

3. Agastar-se, zangar-se.

4. Ser enganado.

5. Rejubilar, exultar de alegria.

6. Não obter o que se desejava.

7. Provocar confusão.

8. Amuar.

9. Irritar-se, zangar-se.

10. Aparecer de forma inesperada.

11. Permanente insistência num argumento.

12. Medir forças, tanto físicas como intelectuais.

9 **Complete as frases com as expressões do exercício anterior.**

a) Ontem, na Sociedade de Geografia _____. Eu não sabia o que fazer!

b) A embaixada australiana não lhe concedeu o visto de trabalho. E agora a Susana _____.

c) No mercado, a Paulette _____. Em vez de quatro quilos de nêsperas, o vendedor deu-lhe dois!

d) Não adianta _____. Vou desligar o teu computador, pois tens que ir estudar.

e) Esteja onde estiver, o Mário _____ sempre _____. É um sociopata.

f) Depois do resultado das eleições, os dirigentes do partido vencedor _____.

g) Ele é um megalómano, meteu-se em vários negócios e passado pouco tempo, falido, _____.

h) Ela esperava ser a herdeira principal da tia, mas _____; a tia deixou tudo à empregada.

i) A Valentina exige que as filhas sejam excelentes nos estudos, como tal, faz disso um _____.

j) Eu _____ quando a Paula me disse que não tinha terminado a última parte do nosso projeto.

k) O filho do patrão _____ na empresa e pensa que é o maior e que sabe tudo.

l) Os trabalhadores lutam pelos seus direitos, mas os patrões _____ e não cedem às reivindicações.

10 Explique o significado dos provérbios.

a) Deitar cedo e cedo erguer dá saúde e faz crescer.

_____

_____

b) Para bom entendedor, meia palavra basta.

_____

_____

c) Não há pior cego do que aquele que não quer ver.

_____

_____

d) Galinha do mato não quer capoeira.

_____

_____

e) Os amigos são para as ocasiões.

_____

_____

f) Antes só que mal acompanhado.

_____

_____

g) Falar é fácil, fazer (é que) é difícil.

_____

_____

h) É melhor prevenir do que remediar.

_____

_____

i) A palavra é de prata e o silêncio é de ouro.

_____

_____

j) Onde todos mandam e ninguém obedece, tudo fenece.

_____

_____

k) Na terra onde fores viver, faz como vires fazer.

_____

_____

l) Para melhor muda-se sempre.

_____

_____

m) A esperança é a última a morrer.

_____

_____

n) Coimbra canta, Braga reza, Lisboa diverte-se e o Porto trabalha.

_____

_____

o) A exceção faz a regra.

_____

_____

1 Complete as frases com as formas verbais e as preposições apropriadas.

acabar	cair	correr	dar	deitar	deixar

levar	sair	sair-se	tratar	tratar-se

a) Depois do espetáculo, os atores _____ o teatro _____ uma porta lateral.

b) Não consigo _____ a Adelaide _____ "tu".

c) Os polícias _____ os assaltantes, que foram apanhados em flagrante.

d) A notícia do escândalo do BPN _____ todos os jornais portugueses.

e) Depois de muita hesitação, eles _____ ir de táxi, pois era mais rápido.

f) O copo _____ o chão e partiu-se.

g) Quando fomos acampar, tivemos de _____ muita comida _____ o acampamento.

h) As traseiras do prédio _____ o cemitério.

i) O Zé é tão parecido fisicamente com o pai! E em matéria de teimosia também _____ o pai.

j) Costumo _____ carinho as minhas empregadas, para que se sintam à vontade.

k) A Helena _____ fumar há 17 anos.

l) _____ enviar um *email* à minha amiga italiana.

m) Ela estava tão embriagada que _____ a cama durante a noite.

n) O estudante coreano _____ muito bem _____ a prova oral de língua portuguesa.

o) A tia _____ as garrafas vazias _____ o vidrão.

p) As meninas _____ um lado _____ o outro, desorientadas, sem saber o que fazer.

q) Depois daquele escândalo, o político _____ desgraça e foi esquecido por todos.

r) Tento convencer-te, mas vejo que não consigo _____-te _____ gostar de *jazz*.

s) Não resisti àqueles bombons de ginja: _____ eles em dois tempos.

t) _____ uma fraude de grandes dimensões.

u) O Pedro _____ o trabalho _____ fazer quando foi de férias.

2 **Complete as frases com as formas verbais e as preposições apropriadas.**

| andar | fazer | ficar | ficar-se | vir | voltar | voltar-se |

a) A Teresa _____ passar por minha casa hoje à noite para estudarmos juntas; espero que não falte.

b) Após muitos anos no estrangeiro, o Zé, cheio de saudades, _____ Portugal.

c) Lisboa _____ cerca de 300 km do Porto.

d) O excesso de açúcar e de álcool _____ que as pessoas fiquem obesas.

e) Quando eu morrer, o meu colar de pérolas _____ a minha neta Joana.

f) Para cá chegares mais depressa, sugiro-te que _____ a autoestrada.

g) De repente, _____ o chefe e disse-lhe tudo o que lhe ia na alma.

h) Costumas _____ pé ou _____ autocarro _____ a faculdade?

i) Porto Covo _____ a costa vicentina, _____ o litoral alentejano.

j) Não gostava de _____ transportes públicos, sobretudo, detestava _____ metro.

k) Se estudares muito, podes _____ falar português fluentemente no futuro.

l) Eles _____ pagar as dívidas às Finanças no prazo de seis meses, caso contrário vão a tribunal.

m) Eu _____ ler um livro de Mário de Carvalho: "A arte de morrer longe".

n) Ele _____ agradar ao chefe, mas era sempre um esforço em vão.

o) O ministro, laconicamente, _____ um breve discurso na tomada de posse.

p) _____ fazer um passeio no Douro já há dois anos, mas ainda não nos foi possível fazê-lo.

q) Depois da queda do muro de Berlim, muitos imigrantes da Europa de leste _____ Portugal.

r) A empregada é incompetente: limpou mal a casa e as camas _____ fazer.

s) Carlos, _____ casar? Não desistes, é a terceira vez!

t) Por vezes, convém-me _____ surda, para não ter de responder a certas pessoas.

u) Os lisboetas _____ água durante toda a manhã. Foi o caos!

3 **Complete as frases com as formas verbais e as preposições apropriadas.**

chegar	chegar-se	dar	dar-se	ir
ir/lançar-se	passar	passar-se	pôr	pôr-se

a) _____ o Porto, de manhã, _____ o comboio das sete e regressamos a Lisboa ao fim da tarde.

b) A cor das cortinas _____ as tonalidades usadas na decoração da sala.

c) O autocarro 31 _____ a Cidade Universitária?

d) O Pedro _____ a janela do comboio para admirar a paisagem.

e) A Maria andava completamente obcecada por um colega: _____ si, constantemente, a pensar nele e não conseguia concentrar-se no trabalho.

f) Emagrecia de dia para dia; os médicos _____ pensar que fosse cancro.

g) A mãe, quando o viu partir, de tão comovida, _____ chorar.

h) Como a Laura quase nunca sorri, muitas vezes _____ antipática.

i) Depois de muitos desgostos e desilusões, a Marta, deprimida, _____ alcoólica.

j) Todas as cenas do filme _____ um manicómio.

k) Esse aparelho tão esquisito _____ quê?

l) Acho que há pouca comida: as sardinhas não _____ tanta gente.

m) Não posso _____ um café a meio da manhã.

n) A Helena _____ bem _____ todos os seus colegas de trabalho. Assim, o ambiente é ótimo.

o) O cão-polícia _____ o ladrão e conseguiu dominá-lo.

p) O Rui _____ frequentar concertos, desde que namora com aquela pianista.

q) Estamos fartos de tentar modos diferentes de resolver a equação matemática, mas não conseguimos _____ a solução.

r) A empregada _____ os pratos e os talheres _____ a mesa para o jantar dos patrões.

s) O deputado do partido "Os Verdes" _____ ontem _____ Dublim, onde esteve dois dias e deu uma conferência.

t) O António _____ Bruxelas com um contrato de trabalho de três anos.

u) Abriu a porta de repente e _____ o filho mais novo a fumar às escondidas.

4 Complete as frases com as formas verbais e as preposições apropriadas.

agir	falar	meter	meter-se
pensar	saber	telefonar	ter

a) A Isabel é de ideias fixas: há nove meses _____ aprender russo e já fala muito bem.

b) Estamos a _____ fazer uma viagem à Índia, talvez em setembro.

c) Na cerimónia académica, o estudante mais velho _____ os colegas de turma.

d) O José queria ajudar o neto, mas não podia porque não _____ nada _____ informática.

e) Vais _____ a Ulrike ao Chiado? É um sítio muito bom para passear.

f) O professor de História é "um livro aberto": consegue _____ todos os assuntos com muita profundidade.

g) Os meus vizinhos são escandalosos, andam sempre a _____ complicações.

h) A família do homem-bomba declarou que ele _____ as suas convicções religiosas.

i) O que é que _____ este primeiro-ministro? Eu acho-o um incompetente!

j) _____ a Fernanda _____ uma pessoa leal e honesta, mas posso estar equivocada.

k) A mãe _____ o consultório do médico, mas não conseguiu _____ ele.

l) As alunas chinesas queixam-se e dizem que os portugueses _____ constantemente _____ elas. Elas acham-nos muito atrevidos.

m) O réu, acusado de homicídio, argumentou que _____ legítima defesa e _____ os interesses da família.

n) Pedro, tens de _____ seriamente _____ o teu futuro, não podes continuar nessa indolência!

o) _____ o dinheiro _____ o bolso, porque podes perdê-lo!

p) _____ acabar o trabalho quanto antes, já estamos atrasados na entrega.

q) Detestava ouvir _____ outras pessoas, sobretudo quando era crítica gratuita.

r) _____ que é que te _____ essas batatas fritas? Acho-as horríveis!

s) A nossa filha, no seu Doutoramento, teve de _____ uma audiência de mais de cem pessoas.

t) Tens de dar a tua opinião, não posso _____ ti.

u) É difícil provar que ele não _____ má-fé.

5 Complete as frases com as formas verbais e as preposições apropriadas.

ajudar	cuidar	decidir	decidir-se	estar
fugir	inclinar	inclinar-se	ligar	ligar-se

a) A recuperação económica mundial _____ tornar-se cada vez mais difícil.

b) A cor branca _____ todas as cores e dizem que tem muita energia positiva.

c) Os alunos _____ a mesa de trabalho do professor de química para observarem melhor a experiência que se fazia.

d) Durante a caminhada, ela foi surpreendida por um desconhecido e, assustada, _____ uma vereda.

e) Aquele primeiro-ministro finalmente _____ ouvir os representantes dos sindicatos.

f) É preciso _____ todos os detalhes que se relacionam com o projeto de defesa do ambiente.

g) Não te preocupes, Paulo, _____ tudo o que puder para realizares o teu projeto académico.

h) O embaixador _____ ser transferido para outro país, mas, finalmente, o governo decidiu mantê-lo por mais um ano.

i) Perante a presença do Patriarca de Lisboa, nós _____ a cabeça _____ a frente, em sinal de respeito e veneração.

j) O ministro só dizia disparates; nem sequer _____ defender a imagem do governo e do seu país.

k) A partir das nove horas da noite podemos _____ qualquer país europeu sem pagar nada.

l) Um jovem de 15 anos _____ casa dos pais ontem e deixou-os desesperados.

m) Naquela escola reina a confusão: dois professores de matemática _____ baixa, outros dois _____ férias e os alunos sem aprender.

n) Carlos, _____ alguma coisa _____ a proposta que te fiz?

o) Eu e a minha amiga Vera _____ vontade de fazer uma viagem ao Quénia; deve ser um país fascinante!

p) A Cláudia é muito ambiciosa, por isso _____ pessoas muito influentes politicamente para poder subir na vida.

q) Não sabia bem o que decidir, mas _____ compra dum pequeno apartamento, em vez de uma casa grande.

r) A situação agrava-se cada vez mais, a revolta da população aumenta e os motins _____ um fio.

s) Após muito procurar, finalmente encontrámos sandálias confortáveis, _____ uma cor clara para combinar com o meu vestido.

t) Tenho de _____ a Nadja para lhe pedir os apontamentos da última aula de português.

u) Em 1974, a Suécia _____ a nova democracia portuguesa _____ melhorar alguns aspetos sociais, dando verbas para a construção de escolas e lares de idosos.

6 **Complete as frases com as formas verbais e as preposições apropriadas.**

aproveitar	aproveitar-se	carregar	envolver	envolver-se	olhar
participar	pedir	puxar	ser	tocar	torcer

a) Admiro tanto o quadro de Picasso "Guernica", que sou capaz de ficar longos minutos a _____ ele e nunca me canso.

b) Aquele professor é pouco empenhado, não _____ os alunos e, assim, eles perdem a motivação.

c) Não conseguimos convencê-lo; ele _____ o Benfica e não muda de ideias.

d) Todas as noites, antes de dormir, a Brenda _____ Deus para que os seus filhos tenham saúde e sorte na vida.

e) Vamos ser solidários e _____ a campanha humanitária com algumas roupas.

f) A Ana Maria _____ a imunidade parlamentar para transgredir as regras de trânsito. Era um escândalo!

g) Quando chegou da quinta, o Joaquim não tinha ninguém para o ajudar; teve de _____ as caixas da fruta sozinho até ao segundo andar.

h) Por favor, não _____ objetos expostos!

i) Depois de o rolo de carne estar pronto, deves _____-lo _____ folha de papel de alumínio.

j) Quantas costeletas _____ cada pessoa? Parecem-me poucas para tanta gente.

k) Essa medida estratégica do governo é completamente descabida, não _____ ninguém.

l) Todas as pessoas devem ser compassivas e solidárias, _____ quem está em situação de pobreza e depende da ajuda dos outros.

m) Fica decidido: a minha pulseira de prata _____ a minha sobrinha Júlia.

n) O bandido, sem hesitar, _____ a pistola e disparou três tiros no polícia que o perseguia.

o) O ministro não sabia que era preciso _____ o botão para chamar o elevador.

p) O António foi falar com o chefe e foi _____-lhe _____ a colega da receção, para que o chefe a promovesse, pois ela merecia.

q) Os meus pais têm _____ todos os debates sobre educação que a minha escola está a promover.

r) A Manuela não _____ Lisboa e por isso não sabe onde fica o miradouro de São Pedro.

s) Há pessoas tão ambiciosas que não _____ meios para atingir os fins.

t) Quando a Helena era estudante universitária _____ ativamente _____ as questões académicas.

7 Complete as frases com as formas verbais e as preposições apropriadas.

agradecer	aprender	assistir	cessar	comparar	continuar	cumprir	enviar

forçar	namorar	queixar-se	precisar	sonhar	telefonar	vestir

a) A Sofia, geralmente, _____-se _____ preto.

b) Quando era criança, _____ um barco próprio no qual eu navegasse por mares remotos e visitasse terras desconhecidas.

c) Os assaltantes _____ o guarda _____ mostrar onde estavam as chaves do cofre.

d) Apesar de tudo, tu _____ namorar com ele. Que falta de autoestima!

e) O Martim disse-me que ia _____ o teu irmão para convencê-lo a ir ao cinema.

f) Ao fim de um quarto de hora, a neve _____ cair.

g) Com oito anos eu _____ tocar flauta.

h) A primeira-ministra eslovena _____ o seu homólogo lituano a ajuda e a cooperação.

i) Para trabalhares no seio desta organização _____ passar num teste bastante difícil.

j) Amanhã tens de _____ um fax _____ os nossos parceiros escoceses.

k) Ontem, nós _____ um concerto no Mosteiro dos Jerónimos.

l) O Tó _____ a noiva, a Carmo, por ser ciumenta.

m) Não _____ um Ferrari _____ um Toyota! São completamente diferentes.

n) Na universidade, o meu tio _____ uma rapariga panamense.

o) Diga o que disser, todos os empregados _____ as suas obrigações.

p) A Olga _____ o mesmo programa na Rádio Nostalgia.

q) Ele foi-se embora e nem _____ o indivíduo que o ajudou na autoestrada.

8 **Complete as frases com as formas verbais e as preposições apropriadas.**

> apaixonar-se   crer   dedicar   dedicar-se   licenciar-se   faltar
>
> lembrar   lembrar-se   pertencer   referir-se   traduzir   valer-se

a) Entre os meus amigos holandeses, há muitos que não _____ Deus.

b) Quando elas vierem a casa _____-_____ regarem as flores no rés do chão.

c) Durante os bombardeamentos, os habitantes _____ o aprovisionamento que havia nos abrigos antiaéreos.

d) Eu _____ os ensaios e, por isso, não vou em digressão pelo Canadá.

e) O pai do nosso amigo Charles _____ o cargo que ocupa para lhe arranjar um trabalho no Ministério dos Negócios Estrangeiros.

f) Ontem tive de _____ um texto _____ persa _____ hebraico.

g) Logo que ela saiu de casa _____ que tinha deixado a pasta com os documentos na sala de estar.

h) Dantes, essas estrebarias _____ os meus bisavós.

i) Esse investigador _____ a divulgação da obra dos escritores checos na língua russa.

j) O presidente _____ a palavra e adotou essa lei discriminatória.

k) Céline Dion _____ a sua nova canção _____ a família.

l) Sem dúvida, as suas palavras _____ o caso do Hilário e _____ as suas consequências.

m) No ano passado, o meu filho _____ Física Nuclear _____ a classificação máxima.

n) Levantei-me às cinco de manhã; _____ pouco _____ amanhecer.

o) A minha avó _____ a profissão de enfermeira toda a sua vida.

p) Eu _____ a música do compositor alemão Richard Wagner. Amanhã vou ao teatro para ouvir o "Ouro do Reno".

q) No curso de teatro a Sara _____ o professor e começou a emagrecer. A vida é assim...

9 **Complete as frases com as formas verbais e as preposições apropriadas.**

> aproximar-se   contar   desfrutar   entrar   entregar   esforçar-se   esquecer-se
>
> obedecer   proibir   saltar   substituir   transmitir   tropeçar

a) A Isadora _____ a tua presença no seu aniversário.

b) Para mim, uma das coisas agradáveis da vida é poder _____ a companhia de bons amigos.

c) Ele _____ a igreja, _____ um ícone, beijou-o, persignou-se e saiu balbuciando algo.

d) Assim que o Filipe veio a sabê-lo _____ a notícia _____ os irmãos.

e) Vocês vão para o Egito?! Só podem estar a _____ (nós).

f) Na escuridão, eu _____ um tapete e bati com a cabeça no aparador.

g) Estávamos com pressa e _____ desligar a luz e o ar condicionado.

h) O Adriano _____ lhe agradar, _____ obsequiá-la, mas ela era inconquistável.

i) Se quisesses ser menos obeso, _____ as prescrições do doutor Nunes.

j) A criança _____ a cadeira e _____ o peitoril da janela.

k) Por sorte, aquela atriz foi _____ outra mais talentosa e menos caprichosa.

l) Devido à pressão internacional, os países beligerantes _____ negociações e anunciaram tréguas.

m) Espero que possas _____ a praia mas nessa época há tanta gente no Algarve.

n) Agora ele sabe tudo acerca do escândalo na biblioteca. A Mariana _____--_____.

o) O professor Duarte é muito conservador: _____ os estudantes _____ ler obras de autores modernos.

p) Todos os objetos pessoais do sinistrado foram _____ os familiares.

q) O menino de um ano, que ainda mal andava, _____ uma pedra da calçada e caiu. Fartou-se de chorar, coitadinho!

10 **Complete as frases com as formas verbais e as preposições apropriadas.**

abusar	ameaçar	atender	compor-se	dirigir-se	exigir	formar-se	opor-se
ralhar	revelar	rogar	sorrir	tachar	tingir	troçar	zangar-se

a) Se tu tivesses _____ mais assiduidade e diligência _____ a tua filha, agora não estarias a queixar-te dela.

b) Não _____ ele. Ele é pequeno demais para perceber a razão da tua zanga.

c) A administração da fábrica de automóveis _____ os operários _____ represálias se eles fizerem greve.

d) A minha pequena sobrinha _____ todas as blusas brancas da mãe, _____ cor de laranja.

e) Quando o velhote _____ ela, a Liliana viu que ele não tinha os dentes da frente.

f) Logo depois da perda do passaporte, o Gil _____ a esquadra mais próxima para redigirem um relatório.

g) Todos os rapazes da turma _____ o Carlos porque ele era tímido e acanhado e tinha sardas.

h) O processo da produção de cerveja _____ muitas partes.

i) Não há que _____ a criança porque isso pode prejudicar a sua personalidade.

j) Em 2003, eu _____ Filologia Eslava _____ a Universidade de Bratislava.

k) O Xavier _____ a minha benevolência e _____ a minha confiança. Estou profundamente dececionada.

l) O delator _____ todos os detalhes da conspiração _____ a polícia.

m) Durante a entrevista na televisão, o sociólogo _____ corruptos quase todos os políticos do país.

n) Os penitentes _____ perdão, mas era tarde demais.

o) Os empregados do nosso hotel no Dubai _____ os vossos mais caprichosos desejos.

p) "Proteja o meu filho" – _____ Deus a Aida.

q) O funcionário da instituição pública _____ a ideia de falsificar as assinaturas.

11 Complete as frases com as formas verbais e as preposições apropriadas.

brindar	caber	dizer	deparar	oferecer

oferecer-se	pedir	perguntar	preocupar-se	responder	sofrer

a) Logo que eu puder, _____ a mensagem da Eva.

b) — Temos de comunicar-lhe tudo o que passou aqui.
— Não _____ isso. Amanhã contar-lhe-emos.

c) Na Rússia, no dia 8 de março, os homens _____ ramos de flores _____ as mulheres.

d) Elas queriam _____ o estado de saúde da Elsa, mas ninguém as atendeu.

e) Eu nunca admiti _____ ele, por isso não o fiz.

f) Por muito que nos esforçássemos, essa quantidade de livros não _____ a mala.

g) Estavam perdidos em Alfama e _____ informações _____ um transeunte.

h) Ontem, ao sair do ginásio, _____ uma cena muito triste: dois meninos a fumarem cigarros.

i) Hoje soube-se que uma multinacional asiática _____ a União Europeia para resgatar a economia grega.

j) A Mary _____ artrite, assim como o pai dela.

k) A consulesa peruana _____ a colaboração bilateral e _____ a ampliação ulterior das relações luso-peruanas.

l) Não me _____ mim decidir se adiamos a reunião ou não.

m) A minha irmã mais velha _____ sempre _____ a mãe, como se fossem a mesma pessoa.

n) Quando entrei na joalharia, _____ uma pulseira lindíssima. Comprei-a logo.

o) Hoje, o júri _____ o melhor estudante da Faculdade de Belas-Artes _____ uma viagem a Florença.

p) Na infância, a minha prima Lídia _____ sempre _____ mim porque era mais corajosa e atrevida do que eu.

q) Tanto a Keiko como o Raul _____ o divórcio, mas não podiam continuar casados naquelas circunstâncias.

12 Complete as frases com as formas verbais e as preposições apropriadas.

aborrecer	aborrecer-se	arrepender-se	consistir	disparar	felicitar	insistir

lidar	matricular	matricular-se	persuadir	renunciar	sobreviver

a) Muitas pessoas, das mais variadas áreas, _____ Mia Couto _____ ele ter ganho o Prémio Camões 2013.

b) Houve pessoas no Japão que _____ ambos os bombardeamentos, por terem chegado a Nagasaki após o primeiro ataque em Hiroshima.

c) Acabo de _____ o meu filho mais novo _____ uma escola de judo.

d) O estratagema _____ atrair o inimigo para uma emboscada e depois atacá-lo pela retaguarda.

e) O Ministro das Finanças _____ assegurar que a situação financeira do país está estável, mas a realidade mostra o contrário.

f) A Ema _____ trabalhar como assistente de bordo. Ela quer uma vida mais sossegada.

g) Agora tu _____ tê-las ultrajado. Não devias tê-lo feito.

h) Essa mulher _____ o massacre no Ruanda em 1994, mas perdeu toda a sua família.

i) O presidente da Câmara de Vereadores _____ o cargo por motivos pessoais.

j) _____ o meu pai e _____ tudo o que ele me disse.

k) Afinal de contas, o Karl _____-a _____ visitar o Museu da Eletricidade. Foi uma ótima experiência!

l) Não sei como _____ os meus alunos. Será que sou um mau professor?

m) Os amigos _____-na _____ que era preciso resolver tudo naquele momento.

n) O meu marido _____-me _____ constantes repreensões. Estou cansada disso.

o) Cada profissional deve saber _____ bem _____ os colegas de trabalho.

p) Ontem, um desconhecido _____ pedestres na zona comercial de Edimburgo. Afortunadamente, não houve vítimas.

q) Vou _____ a Faculdade de Ciências e Tecnologia da Universidade de Coimbra.

13 Complete as frases com as formas verbais e as preposições apropriadas.

abater	abater-se	admitir	casar	começar
desistir	preferir	servir	servir-se	vingar-se

a) O TGV _____ circular entre Paris e Lyon em 1981.

b) Não a _____ o departamento dessa repartição por não ter cumprido com todos os requisitos.

c) Todos os livros que o Rui te trouxe podem _____ consulta para a tese que preparas.

d) Não puderam _____ o projeto por ele já ter sido adjudicado.

e) A epidemia do antraz _____ a região, fazendo dezenas de vítimas.

f) No curso de pintura, nós _____ os esboços e pequenos desenhos e só depois é que passámos para as paisagens e os retratos.

g) O partido "Os Verdes" _____ estar na oposição _____ fazer parte daquele governo.

h) Finalmente, o jovem pianista _____ o Concurso Internacional Vianna da Motta.

i) Hoje de manhã, o andaime do novo edifício da Alfândega _____ os operários que subiam.

j) O homem _____ o ofensor da sua filha, tendo posto fogo à casa do malvado.

k) A minha companheira de quarto _____ sempre _____ as minhas coisas, sem escrúpulos.

l) Eu _____ a luta livre _____ o boxe porque a luta livre é menos violenta.

m) O ancinho _____ juntar as folhas secas, feno ou palha.

n) A Amália _____ subir ao arranha-céus, por ter medo de alturas.

o) O comandante da divisão, na qual o meu avô servia, não _____ a covardia _____ os soldados.

p) O diretor do departamento de Ciência Política _____ o seu discurso _____ uma referência à correlação entre força e poder nas relações internacionais.

q) Quero _____ a Ofélia, mas o pai dela é contra o nosso casamento!

14 Complete as frases com as formas verbais e as preposições apropriadas.

abster-se	apanhar	convencer	convencer-se	depender	dever-se	gozar	limitar-se

obrigar	obrigar-se	penetrar	repercutir-se	resistir	trocar	vender

a) O alfarrabista _____ o livrinho _____ o estudante _____ 18 euros.

b) _____ que _____ o efeito de estufa?

c) Ele é muito forte e hábil. Conseguiu _____ as mãos o tijolo que o imbecil do Rogério lhe atirou.

d) Alguém _____ os aposentos reais e roubou os pingentes de esmeralda.

e) A Alberta é solteirona e veste-se de forma extravagante; se calhar é por isso que algumas pessoas _____ ela.

f) Enfim, o Sr. Ramírez _____ que amo a sua filha e que não caso com ela por dinheiro.

g) O treinador _____-me _____ adquirir os estribos, as rédeas e a sela mais caros, porque quero participar nas provas hípicas.

h) As consequências do acidente nuclear de Chernobil _____ todos os países vizinhos.

i) Queres _____ aquelas duas lindas poltronas _____ um novo sofá? Que absurdo!

j) Na reunião, o nosso gestor de *marketing* _____ o chefe _____ a necessidade de um novo enfoque com os clientes.

k) Se a Olívia _____ os doces e alimentos gordos e picantes não terá problemas com a vesícula biliar e o pâncreas.

l) Após a juíza ter pronunciado o veredito, o Estêvão _____ apertar a mão do advogado, dizendo um simples obrigado.

m) Em certos países, a mulher ainda _____ completamente _____ o homem.

n) O Sérgio _____-nos _____ ir à Malásia e ao Camboja. Foi uma viagem inesquecível!

o) Se ele _____ os feitiços dessa mulher, agora não teria tido tantos problemas.

p) Essa companhia belga _____ indemnizar o cliente pelos prejuízos causados pela construção do edifício.

q) A sua voz divina _____ o teatro, cativando todo o auditório.

15 **Complete as frases com as formas verbais e as preposições apropriadas.**

abstrair-se	agarrar-se	basear	basear-se	contribuir	declarar	declarar-se
dividir	elevar-se	fingir-se	munir-se	prometer	recolher-se	render-se

a) O relator _____ o seu ponto de vista _____ factos concretos da história atual da Índia.

b) A Katalin sempre foi devota. Nos últimos anos de vida _____ um mosteiro na Hungria.

c) Após a Segunda Guerra Mundial, Berlim _____ duas partes, o que foi uma página trágica na história da cidade.

d) O velho _____ a mão do neto, por ter medo de cair.

e) Os guerrilheiros _____ fuzis e metralhadoras para poderem dar resistência às tropas do governo.

f) Em todas as cartas, o Fábio _____ a Letícia, mas isso não a impressionava.

g) Essa companhia aérea _____ medicamentos e equipamento médico para ajudar a população do Congo.

h) O quê?! _____ os teus pais que gostas de homens?

i) Tenho de voltar para casa; já _____ as minhas tias que as ajudava a mudar os móveis.

j) Esse cálculo _____ o Teorema de Pitágoras.

k) A soma dos impostos pagos pelas nossas duas empresas no ano passado _____ 719 mil euros.

l) Por causa de um forte nevão, os esquiadores _____ uma velha cabana numa das encostas da montanha.

m) Ontem, por volta das 14.30h, o criminoso, que retinha 14 pessoas num prédio nos arredores de Buenos Aires, _____ as forças policiais da capital argentina.

n) O Zacarias _____ inteligente e erudito, mas, na verdade, é superficial e vazio.

o) Na conferência, ela _____ essa ideia e começou a desenvolvê-la.

p) Este político sueco _____ a manutenção da paz no Médio Oriente.

q) Não sou capaz de _____ os pensamentos negativos. Necessito de uma ajuda psicológica.

16 Complete as frases com as formas verbais e as preposições apropriadas.

aceder	arriscar-se	colidir	coser-se	descer	incidir
investir	prestar	prestar-se	promover	reduzir	reduzir-se

a) Para não pedirmos dinheiro emprestado temos de _____ o máximo as despesas.

b) O rei não _____ os rogos da princesa e mandou encarcerá-la na torre.

c) As imagens da câmara de vigilância, mostraram que ontem, à meia-noite, o suspeito _____ o camião, saltou a barreira e penetrou no recinto do armazém.

d) A Paula não quer que a conduta dela _____ discussões e quaisquer interpretações.

e) Ela _____ perder todas as economias no banco, por isso _____ o dinheiro _____ imóveis na Bulgária.

f) Um rebocador _____ um dos pilares da Ponte do Palácio em São Petersburgo e afundou-se.

g) Após a venda das antiguidades da família, o Mauro _____ todo o dinheiro! Que falta de vergonha!

h) As minhas sobrinhas _____ ajudar-me no que quer que eu precisasse.

i) O Nuno _____ esse alto cargo por o pai dele ser dono de três canais de televisão.

j) O Sol _____ os olhos da Nina, ofuscando-lhe a visão.

k) As negociações em Bombaim _____ uma só questão: a retirada das tropas do território em guerra.

l) E dizes que essas coisas são tão boas? Não _____ nada!

m) Em toda a região de Pequim reinam as baixas temperaturas. Os termómetros _____ 19 graus negativos.

n) O aumento dos preços _____ especialmente _____ a gasolina e os transportes.

o) Os bombardeamentos _____ essa pequena cidade _____ cinzas.

p) O Ministro das Finanças _____ Raul Ferreira _____ o cargo de Vice--Ministro.

q) Os comentaristas desse jornal _____ com frequência _____ as reformas realizadas pelo Ministério da Educação.

PARTE 2

17 Complete as frases com as formas verbais e as preposições apropriadas.

afastar	afastar-se	atribuir	atribuir-se	consentir	divertir-se	enganar

enganar-se	perdoar	perseverar	pesar	reparar	subir	trepar

a) A ONU considera que o governo desse país africano _____ demais _____ os fundamentos essenciais da democracia.

b) A menina queria dar de comer ao esquilo, mas este assustou-se e _____ o carvalho.

c) Há meses, esse cientista _____ publicar as suas primeiras descobertas científicas.

d) Não pude _____ o meu marido porque me _____ outras mulheres.

e) Nós _____ tanto _____ ver o nosso filho a brincar com as outras crianças.

f) O ferido tinha febre. A temperatura _____ os 39,8 °C.

g) Na estrada, a caminho de Abrantes, _____ saída e fui para outra direção.

h) O Ivo fez tudo para _____ a sua mulher _____ as amigas dela.

i) Eu _____ tal atitude _____ a influência dos novos amigos delas.

j) Quero _____ o piano _____ a parede oposta.

k) Na semana passada, eu _____ o espetáculo dos golfinhos no Jardim Zoológico!

l) Não pudeste resolver esta equação porque _____ os cálculos.

m) Eles _____ a custo a secretária _____ a janela e viram o que tinha caído para trás.

n) Assim que entrei no laboratório dele _____ vários microscópios e outros aparelhos.

o) Esta natureza morta _____ Vincent van Gogh.

p) Se _____ a luta contra a fome e contra a pobreza conseguiremos os nossos objetivos.

q) As algemas e os grilhões _____ o corpo do prisioneiro.

18 Complete as frases com as formas verbais e as preposições apropriadas.

acenar	chocar	chocar-se	confiar	culpar	destinar-se

encarregar	encarregar-se	gabar-se	lutar	proteger-se

a) De repente, deu-se conta que não podia _____ ninguém, nem sequer _____ a filha.

b) Esta organização cristã _____ o incitamento ao ódio religioso.

c) O autocarro que eu apanhei na estação _____ um poste nos arredores de Córdova.

d) No fim da viagem, já estávamos fartos do Fábio porque passava horas a _____ toda a gente.

e) Nós _____-lo _____ alugar uma casa nos Açores.

f) Ela _____-lhe _____ a cabeça, significando que o Ricardo podia entrar no gabinete.

g) Os oficiais e os soldados _____ heroicamente _____ o inimigo, mas nunca se renderam.

h) A Dora _____ tanto _____ o que lhe dissemos que não quis falar mais connosco.

i) A FAO _____ as doenças e a subalimentação nos países africanos.

j) Grande parte do dinheiro dessa fundação beneficente _____ pagar o tratamento das crianças no estrangeiro.

k) Este rapaz _____ tudo o que sabe ou vai fazer.

l) Ele está tranquilo porque um dos seus amigos _____ a parceria num negócio lucrativo.

m) Aqueles políticos _____ o reconhecimento da independência deste país.

n) Estes assentos _____ os nossos hóspedes, os professores da Academia Real.

o) O Álvaro _____ os barcos para o passeio pelo lago.

p) Todos me _____ tê-lo dito na presença do Sr. Coelho.

q) Quando vivíamos na Sibéria, a minha mãe usava o casaco de peles de arminho para _____ o frio.

19 **Complete as frases com as formas verbais e as preposições apropriadas.**

| admirar | admirar-se | arrastar-se | carecer | ceder | desatar |
| encerrar | encerrar-se | lançar-se | rodear | rodear-se |

a) Vou _____ o meu carro _____ o meu filho para o fim de semana.

b) Quando os meninos viram o cão de fila a ladrar, _____ correr muito assustados.

c) Os raptores _____-na _____ a cave e não a deixaram sair até receberem o resgate.

d) _____ saber que a família do meu amigo foi exilada e o pai e o avô dele estiveram na prisão durante oito anos.

e) Uma das manifestantes _____ o agente da polícia e arranhou-lhe a cara.

f) O documento _____ muitas instâncias e mãos, antes que fosse assinado pelo ministro.

g) Os aventureiros _____ a procura do tesouro numa ilha no Atlântico.

h) Como o realizador _____ uma ótima equipa, o filme foi um êxito de bilheteira.

i) Segundo o ex-presidente iraniano Mahmoud Ahmadinejad, o Irão não _____ nada em relação à energia nuclear.

j) Para te preparares a fundo para os exames deves _____ a biblioteca e estudar ao longo deste mês.

k) O presidente _____ o monumento _____ flores e coroas.

l) O nadador _____ a prancha _____ a água, para salvar uma menina que mal sabia nadar.

m) A minha mãe sempre _____ Lady Diana _____ a sua beleza e bondade.

n) Depois da operação, os parentes _____-na _____ atenção e cuidado.

o) Elisa, os teus filhos não vão _____ as tuas ordens. Já são adultos.

p) O mutilado _____ a avenida e pedia esmola.

q) Muitas famílias africanas _____ condições mínimas para uma vida digna.

20 Complete as frases com as formas verbais e as preposições apropriadas.

| arranjar-se | assemelhar-se | condizer | conformar-se | convidar | converter | converter-se |

| deduzir | eclodir | encher | encher-se | tender | vencer |

a) Quando a Alice sorri, _____ um coelho.

b) Hoje, ele _____-a _____ a entrega dos diplomas no Conservatório.

c) O meu tio _____ ser pessimista. Vê sempre o lado negativo das coisas.

d) Diz-se que se pode _____ lixo plástico _____ petróleo.

e) O Marco _____ alegria quando ouviu os resultados da eliminatória.

f) Temos o prazer de _____-los _____ assistirem à inauguração da exposição de pintura alemã no Hermitage.

g) Espero que consigas _____ todos esses encargos que te têm dado.

h) Ontem, a seleção ganesa _____ a do Senegal _____ 3-0 em jogo a contar para a Taça das Nações Africanas.

i) O Ali não quer _____-la _____ o islamismo, crendo que isso é a escolha pessoal de cada um.

j) Nos livros deste autor, sente-se que ele _____ o kantismo.

k) É-lhes muito difícil _____ o modo de vida que os netos levam.

l) O empregado _____-lhe a taça _____ champanhe que ele bebeu de um só trago.

m) _____ as tuas palavras que não tinhas tempo para nada, por isso, nem te telefonei.

n) Durante a Inquisição, milhares de judeus _____ o catolicismo.

o) Um dos organizadores do evento _____-os _____ entrar na igreja.

p) É óbvio que as suas atitudes não _____ as palavras proferidas.

q) Segundo o Ministério da Saúde, houve 44 vítimas durante os violentos protestos que _____ a capital tunisina na semana passada.

21 **Complete as frases com as formas verbais e as preposições apropriadas.**

afetar	ajustar	ajustar-se	coibir-se	corresponder	corresponder-se
delegar	fiar-se	incitar	mexer	rebelar-se	

a) Para trabalhar o metal, o torneiro está a _____ o cortador _____ o suporte da máquina.

b) A Leonor é muito interesseira. Não _____ aproveitar do nome famoso do marido ou simplesmente do prestígio dele.

c) Finalmente, os organizadores _____ os patrocinadores em relação à data da apresentação do produto.

d) Não pude _____ os meus alunos norte-coreanos devido às restrições do governo norte-coreano.

e) Todos esses acontecimentos _____ a sua vida _____ muitos aspetos, em especial _____ o aspeto financeiro.

f) O Xico não deveria _____ essa gente mesquinha.

g) Já te disse mil vezes para não _____ o meu verniz e no meu batom!

h) Tenho de _____ o preço _____ outra seguradora já que a franquia da apólice é muito elevada.

i) Embora o Mark descenda de uma família inglesa muito nobre e tenha o título de duque, _____ o exibir para não nos embaraçar.

j) Na junta militar ele foi _____ a Infantaria e o seu irmão _____ a Artilharia.

k) Os serviços secretos prenderam-nas por _____ os motins.

l) Nas Filipinas, os prisioneiros _____ as constantes violações do regime penitenciário.

m) Os critérios de Copenhaga, formulados pelo Conselho Europeu em 1993, _____ bem _____ a mentalidade europeia.

n) Os meios de comunicação deste país camuflavam o verdadeiro estado de direitos humanos que não _____ a realidade.

o) O total das multas cobradas foi _____ o erário do Estado.

p) Os alunos daquele professor _____-no _____ rever as convicções e _____ considerar tudo aquilo de outro modo.

q) Se eles pudessem assumir a responsabilidade não _____ terceiros a solução dos problemas do filho deles.

22 Complete as frases com as formas verbais e as preposições apropriadas.

amuar	debruçar-se	duvidar	magoar	parecer-se

prender-se	preparar-se	rezar	tirar

a) Os pais _____ Deus _____ o restabelecimento rápido da filha.

b) A Francisca é tão esbelta e airosa! _____ a mãe.

c) Vocês não _____ mim. Eu, depois, apanho o metro para casa.

d) O Tibor _____ a pistola _____ a gaveta da secretária e carregou-a.

e) O velho compositor _____ a partitura da nova sinfonia do seu discípulo.

f) O Félix comprou uma nova máquina fotográfica digital, uns óculos de sol e uma mala Samsonite. Assim _____ a viagem às ilhas Galápagos.

g) O Homem _____ muitas coisas fúteis: fama, riqueza, opinião pública, etc.

h) Há muito tempo ele _____-a _____ a lama e deu-lhe tudo. Agora, ela traiu-o com o seu melhor amigo!

i) A Renata _____ bem _____ essa operação perigosa. Pôs em ordem o testamento e outros documentos e pagou todas as contas e dívidas.

j) A Viviana _____ vós por não lhe terem dado os parabéns.

k) O menino _____ a janela, mas não conseguiu manter o equilíbrio e caiu na relva.

l) "A ideia da lei _____ o fracasso individual", é uma frase famosa de Gonçalo M. Tavares.

m) Todos vocês _____ ela mas ninguém pode afirmar tê-la visto naquele dia.

n) Estou a _____ a audição de um projeto de teatro no Porto.

o) Quando saí da varanda para o quarto, a fivela do cinto _____ a cortina de tule e rasgou-a.

p) Depois de dois copos de rum, o agente _____ ele tudo o que precisava de saber.

q) Alguns membros do Opus Dei têm práticas em que _____ o próprio corpo _____ um tipo de pregos, dizendo que é para se lembrarem do que Cristo suportou.

23 **Complete as frases com as formas verbais e as preposições apropriadas.**

| acreditar | apelar | conduzir | confrontar-se | distrair | distrair-se |

| livrar | livrar-se | negociar | persistir | resultar |

a) A Assembleia Geral da ONU condenou as explosões em Bagdade e _____ uma rápida investigação dos atos terroristas.

b) A única coisa que a _____ as aflições era bordar e costurar.

c) O unipartidarismo _____ inevitavelmente _____ a ditadura ou _____ o totalitarismo.

d) Um automobilista _____ os cartazes da publicidade de roupa interior feminina e bateu num veículo.

e) Se apanharmos a A6, ela _____-nos _____ Badajoz.

f) A princesa _____ as garras do dragão, mas as provações não acabaram por aí.

g) Ninguém _____ ele. Todas as histórias que nos contava eram uma patranha.

h) O meu irmão mais novo _____ "boas companhias" nos clubes do Chiado.

i) — Como é que vais ajudá-la?
— Antes de mais quero tentar _____-la _____ a depressão em que se encontra.

j) Há muito tempo que _____ essa companhia. São uns bons parceiros, nunca falharam.

k) Os advogados não creem que faça sentido _____ a sentença.

l) Os defeitos da madeira, tais como fendas, buracos, nós, _____ os fatores bióticos.

m) O governo confirmou que esta organização _____ impor limitações na exportação.

n) O meu pai torce sempre pelo Felipe Massa. Aos fins de semana, ele _____ ver competições de automobilismo.

o) Durante os últimos três dias, a comissão conjunta _____ os representantes deste país a situação dos refugiados, mas as partes chegaram a um impasse.

p) O rabino _____ os cidadãos a viverem em paz.

q) Eu não previa que tu _____ tantas dificuldades para passares no exame de filosofia.

24 Complete as frases com as formas verbais e as preposições apropriadas.

advir	apegar-se	convir	deter-se
exibir-se	partir	resignar	resignar-se

a) "Um corte de 16 porcento nos subsídios _____ o novo planeamento orçamental" – disse o funcionário do Ministério das Finanças.

b) Quando a testemunha _____ explicações inúteis, o juiz interrompeu-a.

c) Muitas famílias italianas _____ a Argentina no século XX à procura de uma vida melhor.

d) O Senhor Freitas _____ esse cargo prestigioso por ter cometido um erro imperdoável.

e) O realizador _____ a ideia de encenar a peça de August Strindberg e colocou-a no repertório do próximo ano.

f) Não _____ o coronel do exército comportar-se deste modo!

g) Não podes _____ as coisas a esse ponto! Não sejas materialista!

h) O avião _____ o aeroporto às sete e meia. Às oito ele já tinha desaparecido dos radares.

i) Pouco a pouco eu _____ o facto de o nível geral do ensino estar a baixar.

j) Esta famosa orquestra de câmara vai _____ a Sala Filarmónica em Kiev.

k) Eu _____ o princípio de que esta regra deve ser aplicada a todos os membros do executivo.

l) Elas _____ emigrar do país na condição de lhes permitirem levar a biblioteca do pai.

m) No momento em que _____ tirar uma foto, ouvi um disparo.

n) Não puderam _____ as condições da assistência médica, por isso, o contrato não foi assinado.

o) Ao atuar neste programa, a bailarina _____ reis e presidentes, estudantes e soldados, camponeses e operários.

p) A depressão da Maria _____ a morte súbita da mãe.

q) O médico concluiu: "a sua gaguez _____ o facto de ter apanhado muitos sustos em criança…"

25 Complete as frases com as formas verbais e as preposições apropriadas.

| acusar | atrapalhar-se | convergir | defender | defender-se | embrenhar-se |

| enfiar | ofender | ofender-se | padecer | retirar | retirar-se |

a) No momento do acidente, foi o *airbag* que a _____ o impacto.

b) A vida sedentária, a gravidez e o excesso de peso são causas que predispõem a _____ varizes.

c) O João _____ as palavras cáusticas da Mónica, gaguejou algo em resposta e calou-se.

d) Segundo as autoridades sauditas, cerca de três milhões de muçulmanos _____ ontem _____ Meca, a cidade santa do Islão.

e) O nosso amigo Miguel _____ muito _____ as declarações homofóbicas da tua mulher.

f) Os médicos _____ quatro saquinhos de heroína _____ o estômago de uma jovem colombiana.

g) Nós _____ a chuva debaixo do alpendre de uma casa inabitada.

h) Há 22 anos, este explorador canadiano _____ a selva e nunca mais ninguém o viu.

i) Há cinco anos, o Sr. Eller fechou as últimas lojas em Talim e Vilnius e _____ os negócios para sempre.

j) A Avenida dos Campos Elísios _____ outras onze avenidas na Praça da Estrela.

k) O jovem _____ a leitura do romance; portanto, nada mais podia motivá-lo.

l) O Primeiro-Ministro norueguês sujeitou à crítica os militares argelinos por não terem podido _____ os reféns _____ os terroristas.

m) O Matias _____-nos _____ a sua recusa em nos ajudar. Estamos desapontados com ele.

n) Este eminente diplomata e político árabe _____ o Barém, onde faleceu aos 79 anos.

o) Todos os depoimentos _____ um único: o suspeito não estava bêbedo naquela noite.

p) As autoridades deste país _____-no _____ dirigir as atividades subversivas.

q) O touro foi abatido após ter atacado e _____ o chifre _____ a perna do toureiro espanhol.

26 **Complete as frases com as formas verbais e as preposições apropriadas.**

| aconselhar | apontar | confundir | confundir-se | deixar | entreter-se |
| escapar | parar | refletir | refletir-se | reprovar | reunir | reunir-se |

a) As previsões da TAP _____ que o número de passageiros para Banguecoque, Xangai, Joanesburgo e Marraquexe cresça no ano que vem.

b) O meu leitor de CD _____ funcionar. Tenho de levá-lo para algum técnico.

c) A tropa cercou a cidade e _____ as bocas dos canhões _____ as portas e _____ a muralha do castelo.

d) _____ esses preconceitos absurdos! Estamos no século XXI.

e) O cansaço do voo _____ o desempenho dos atores em "A Fera Amansada", de Shakespeare.

f) Para _____ a maldição da bruxa, o príncipe teve de beber o sangue de javali e comer escamas de peixe.

g) O professor de Química russo Dmitri Mendeleev _____, em 1869, todos os elementos químicos _____ uma tabela periódica.

h) A única coisa que se poderia _____ a Beatriz é a sua letra que, às vezes, é ininteligível.

i) No exame de Direito Internacional Privado _____-me _____ todas aquelas ressalvas e exclusões; resultado: _____ a prova escrita.

j) O advogado dela _____-a _____ assinar o contrato, mas sob várias condições.

k) O criminoso não pôde _____ a Justiça, tendo sido detido e extraditado para o Cazaquistão.

l) Devo _____ a minha vida e os erros que cometi...

m) Nas longas tardes de inverno, as meninas _____ brincar com as bonecas cosidas de pedaços de tecidos.

n) Ontem, o Ministro da Defesa Nacional _____ o Chefe do Estado-Maior General das Forças Armadas para discutirem a nomeação dos chefes das guarnições militares.

o) O pistoleiro _____ o transeunte _____ a sua vítima e matou-o por engano.

p) De repente, o rapaz, perdido na praia, _____ o dedo _____ o horizonte e exclamou: "Barco!"

q) A Anita não gosta de _____ a vida alheia, não julga as pessoas nem prega sermões.

27 Complete as frases com as formas verbais e as preposições apropriadas.

confederar-se	coxear	demorar	demorar-se	entender	entender-se

jazer	orar	privar	privar-se	reter	subir

a) O meu colega é capaz de _____ a memória todos os dados estatísticos.

b) Os pais do Nils _____ os membros da família real norueguesa.

c) Um recorde climático na Croácia: em Zagreb, a temperatura _____ 34 °C em maio.

d) O que é que eles _____ religião? Um meio de manipulação?

e) Espera-se que a idade da reforma _____ os 70 anos.

f) — Quanto tempo _____ aprender a língua vietnamita?
   — Quase quatro anos.

g) O médico _____-me _____ consumir produtos lácteos regularmente, por eu ter problemas digestivos.

h) O doente andava de muletas porque _____ a perna direita.

i) O Óscar nunca _____ bem _____ o pai porque eram demasiado parecidos.

j) Pude _____ o seu discurso que as novas regras não se aplicam a pessoas sem cidadania.

k) Quando o polícia entrou em casa, o corpo do velho _____ o chão _____ uma poça de sangue.

l) Já passaram duas semanas, mas eles estão a _____ o convite oficial.

m) O Júlio não _____ jogar no casino nem de comer nos restaurantes mais caros de Lisboa.

n) O Vítor não _____ nada _____ Geografia. Nem sabe que a Grã--Bretanha é uma ilha.

o) O profeta _____ o monte santo para _____ o povo sofredor.

p) A Joana _____ casa do amigo e não avisou a avó, a qual já estava muito preocupada.

q) Os partidos da esquerda _____ um só partido para fazerem face às iniciativas destrutivas da direita.

28 Complete as frases com as formas verbais e as preposições apropriadas.

adaptar	adaptar-se	datar	jurar	mergulhar	ocupar-se

optar	pegar-se	preocupar-se	prescindir	regressar

a) Hoje, o Farid _____ o Líbano, onde moram as irmãs dele.

b) Segundo o estudo, os que _____ os filhos sentem-se mais felizes.

c) Não consegui _____ o clima no Gabão e decidi _____ o Porto.

d) O Rafael, já bêbedo, partiu os copos, _____ o barman, e, finalmente, o segurança pô-lo fora da discoteca.

e) A defesa _____ a interposição de recurso por não ter provas convincentes.

f) É a sua vida! É normal que ela _____ aquilo de que gosta!

g) Vocês não se _____ os miúdos! Eles estão bem aqui!

h) O escritor não quis que o seu romance mais famoso _____ o cinema.

i) Sabes, ele nem _____ prevenir os colegas sobre quaisquer possíveis consequências!

j) O fazendeiro açoitou o escravo, embora este _____ os filhos que não roubara o dinheiro.

k) Apesar de a varicela ser uma doença comum na infância, ela _____ pessoas adultas que nunca a tiveram.

l) Visto que a situação é instável, não se pode _____ uma reforma agrária que vai ser benéfica para a economia.

m) Na universidade, _____ o curso de Biologia e agora estou a fazer o doutoramento em Biologia Molecular em Estrasburgo.

n) O facto de ele _____ completamente _____ o trabalho, salvou-o da depressão.

o) Os agentes descobriram o assassino pela lama que _____ as botas e às calças no local do crime.

p) Tens uma língua de palmo; _____ o tempo todo _____ falar mal dos outros. Estou farto disso!

q) A primeira tradução da Bíblia para arménio _____ 432 d.C.

29 Complete as frases com as formas verbais e as preposições apropriadas.

apoderar-se	asilar-se	cobrir	cobrir-se	concernir	distribuir
explicar-se	poupar	reclamar	sujar	tardar	tornar	varrer

a) Embora a conclusão do acordo bilateral tenha sido uma conquista, algumas cláusulas _____ ser aplicadas.

b) Se queres _____ dinheiro _____ o consumo de gás e eletricidade, instala vidros duplos e caixilharias em PVC e utiliza o fogão com placas de indução.

c) Centenas de pessoas invadiram o centro da capital para _____ o apagão que se tinha registado seis vezes no Sul do país.

d) Quando eu escovava os dentes _____ as mangas _____ pasta dentífrica.

e) Matias, tens de _____ os teus pais porque estão desconcertados com os teus atos de ontem.

f) Antes da apresentação, deve-se _____ os folhetos _____ todos os membros da comissão estrangeira.

g) No verão passado, a terra do jardim _____ erva daninha e espinhos porque não teve a irrigação devida.

h) O dissidente não quis _____ a pátria, apesar de o regime ter mudado.

i) O aumento das amígdalas _____ várias razões: doenças infeciosas e alérgicas, predisposição hereditária e questões ambientais.

j) No que _____ os computadores, já mandei adquirir novos teclados e ratos sem fio.

k) Todos os passageiros _____ uma indemnização _____ os prejuízos e danos sofridos.

l) Os produtores devem _____ a embalagem _____ uma camada impermeável para a humidade e a poeira não se infiltrarem.

m) Para seguires em frente deves _____ a memória tudo aquilo que essa gente te causou.

n) Os revoltosos _____ um depósito de armas e de munições, assim como _____ três veículos blindados.

o) É expressamente proibido publicar esta edição em parte ou por inteiro, reproduzi-la ou copiá-la e _____-la _____ qualquer meio.

p) Temendo perder uma oportunidade igual, a Elvira não _____ aceitar a proposta.

q) O eminente realizador _____ a Embaixada do Luxemburgo devido às constantes perseguições de que foi alvo.

30 Complete as frases com as formas verbais e as preposições apropriadas.

amar	atrair	brincar	consagrar	drogar-se	habituar-se

manifestar-se	recorrer	repreender	situar	situar-se	zelar

a) Além de _____ o cumprimento das leis e normas, esse programa da União Europeia tem muitos outros objetivos.

b) Ela _____ fazer de conta que tudo estava bem quando isso não era verdade.

c) Para _____ mais pessoas _____ a participação neste projeto cultural é-nos indispensável torná-lo mais abrangente.

d) O governo decidiu _____ 978 mil euros _____ a criação de empregos no sector do turismo.

e) Para a regularização do conflito, as partes _____ a mediação internacional, nomeadamente _____ a Turquia e _____ a Rússia.

f) Os políticos húngaros _____ o fogo ao fechar os olhos ao aumento do antissemitismo.

g) As recentes pesquisas dos escritos deste crítico literário ajudaram-nos a _____ a sua obra _____ o contexto cultural da Sérvia do século XX.

h) Milhares de opositores _____ a tomada de posse de Vladimir Putin como Presidente russo.

i) Dois colegas de estudo do meu filho _____ cocaína já há um ano.

j) Os agentes, estrategicamente, _____ o ladrão _____ o local do crime, no dia seguinte.

k) O enigma dos problemas morais _____ o cerne das reflexões éticas deste antropólogo polaco.

l) Quando éramos crianças, _____ os médicos e _____ os enfermeiros.

m) Os meus pais _____ -me _____ pensar por mim própria e _____ não contar com outros.

n) Ontem, em Washington, milhares de pessoas concentraram-se em frente ao Capitólio para _____ a reforma da imigração, que poderia legalizar 12 milhões de pessoas.

o) Caso o senhor não esteja de acordo com a sentença, pode-se _____ a decisão judicial.

p) Devemos _____ Deus sobre todas as coisas.

q) Nos tempos de escola, eu fazia gazeta, _____ que a minha mãe me _____ severamente.

31 Complete as frases com as formas verbais e as preposições apropriadas.

abastecer-se	aperfeiçoar-se	avisar	caracterizar-se	curar	demitir-se	ensinar
gostar	interessar-se	manter-se	parar	poder	pousar	presentear	tapar

a) Os filmes _____ que eu _____ são comédias. Não _____ filmes de terror.

b) Este jovem maestro romeno _____ a regência musical em Berlim, Liubliana e Viena.

c) Não estou seguro que o Afonso ____________ todos esses encargos. Ele é bastante vagaroso.

d) Os farmacólogos austríacos ____________ os perigosos efeitos colaterais deste medicamento.

e) Ao ____________ a pista do aeroporto, o avião tocou numa construção com a asa direita.

f) A Sónia é tão insensível! Não ____________ criticar os pais sofredores.

g) Há poucos meses ____________ os meus filhos ____________ montar a cavalo.

h) Esta substância química ____________ a alta percentagem de estanho e enxofre.

i) O Etien ____________ a patinagem artística. Em 2008, até foi a Gotemburgo assistir ao Campeonato Mundial.

j) Naqueles tempos tenebrosos, muita gente ____________ água potável, farinha e sal.

k) Tenho de ____________ a tabela de multiplicação ____________ as minhas sobrinhas.

l) O Comandante-Chefe foi forçado a ____________ o seu cargo por acusações de violação de uma menor.

m) Nos anos depois da guerra, a minha família ____________ o cultivo da beterraba e curgete que a avó vendia no mercado local.

n) Os médicos puderam ____________-la ____________ o tique ____________ a hipnose.

o) Para descansar e relaxar os olhos, ____________-os ____________ as palmas das mãos. Assim, a pressão nos olhos irá diminuir.

p) Eu não ____________ a Emília: trata toda a gente de uma maneira arrogante e perentória.

q) A sua amante ____________-o ____________ o jogo de xadrez em marfim que ela tinha adquirido num leilão em Londres.

32 Complete as frases com as formas verbais e as preposições apropriadas.

abrir	**abrir-se**	**banir**	**calhar**	**constar**	**dar**	**desenrascar-se**
estrear-se	**humilhar-se**	**inquirir**	**negar**	**negar-se**	**segurar**	**versar**

a) O detido ____________ denunciar os seus cúmplices apesar da possível redução de pena.

b) Às vezes, é mais fácil a pessoa ____________ um desconhecido do que ____________ uma pessoa mais próxima.

c) O menino, que ____________ o cão ____________ a trela, olhava ao redor como se estivesse perdido.

d) Para promover os transportes públicos, deve-se ____________ os carros poluentes ____________ o centro das grandes cidades.

© Lidel – Edições Técnicas, Lda.

e) O livro deste politólogo brasileiro _____ a dissolução da União Soviética e o desmantelamento do regime comunista.

f) Nem o Pedro nem o Vítor _____ bem _____ o meio-irmão paterno.

g) A lei deste país _____ as mulheres o direito ao aborto.

h) A Polícia Judiciária está a _____ os casos de evasão fiscal na maior empresa petrolífera da Europa.

i) Na Liga dos Campeões, _____ o FC Porto jogar com o Atlético de Madrid.

j) A sala de jantar do palácio _____ um belo jardim com uma fonte.

k) No seu ensaio, que _____ "O Mestre e Margarida" e "Doutor Jivago", a jovem filóloga americana justapõe e confronta os estilos artísticos de Bulgakov e Pasternak, mostrando os traços típicos destes dois escritores russos.

l) O Fábio não consegue _____ esta situação embaraçosa. Não sei como ajudá-lo.

m) Uma modelo alemã _____ as suas pernas _____ dois milhões de euros.

n) O festival de música de Sintra _____ a Sinfonia "À Pátria", de Vianna da Motta.

o) Em 1976, o ator _____ o Teatro Nacional na peça "O Doente Imaginário", de Molière.

p) A Madalena prefere _____ os filhos a abandonar o lar.

q) O seu apartamento em Braga _____ três grandes quartos, duas casas de banho, uma cozinha e uma varanda envidraçada.

33 Complete as frases com as formas verbais e as preposições apropriadas.

aderir	apreender	cascar	constranger	constranger-se	desaparecer	emanar	escusar

escusar-se	forrar	incentivar	ocultar	recusar-se	satisfazer-se	usufruir

a) Que descarada que é a Aurora! Estava a _____ todos os descontos para os serviços do nosso hotel e nem nos agradeceu.

b) A Cristina não _____ o que tínhamos proposto e fez-nos rever tudo.

c) Após os seus artigos reveladores, alguém dos serviços secretos _____ o redator _____ dispensar o jornalista.

d) Nem quero vê-lo! Que _____ a minha vida!

e) O alferes foi preso por _____ obedecer às ordens do coronel.

f) Agora nós _____ escrever os relatórios em papel. Tudo se faz por meio de computadores.

g) O decorador sugeriu-me _____ o sofá _____ pele.

h) Durante a busca domiciliária, a polícia _____ toda a documentação _____ o suspeito.

i) A Maria _____ as palavras ameaçadoras do marido sem lhe poder retrucar.

j) Ele é que é rabugento! Passa os dias inteiros a _____ a mulher.

k) Em 1997, o Mianmar, a antiga Birmânia, _____ a Associação de Nações do Sudeste Asiático.

l) Levo os meus casacos e o meu sobretudo ao alfaiate para que ele os _____ seda japonesa.

m) Não tenho a menor ideia onde ele esteja; após aquele escândalo, o Álvaro _____ a cidade.

n) Pedimos-lhes para nos darem uma garantia escrita, mas elas _____ fazê-lo.

o) Recentemente, foi revelado que o Ministério do Interior _____ os dados verdadeiros sobre a criminalidade _____ a população.

p) Um forte aroma a relva recém cortada _____ o relvado diante da mansão.

q) A mudança do seu irmão mais velho para a Suíça _____-o _____ aprender alemão.

34 **Complete as frases com as formas verbais e as preposições apropriadas.**

adjudicar	aludir	castigar	conceder	desiludir-se	dispor	dispor-se
embirrar	fixar	fixar-se	indignar-se	lamentar-se	preencher	surgir

a) Tal confusão pode _____ más interpretações do fenómeno, por explicações pouco claras das enciclopédias daquela época.

b) É uma região bastante rica que _____ seis refinarias petrolíferas, fábricas de aço, jazidas de hulha, xisto e turfa.

c) Tivemos de _____-lo _____ fazer barulho e impedir os outros de escrever.

d) A Alda _____ o Mário e agora quer conquistá-lo custe o que custar.

e) O Tó critica tudo e todos, diz grosserias e _____ toda a gente. Não o suporto!

f) Nós _____ a Sandra por ela ser invejosa e intriguista.

g) A geração mais velha dos coreógrafos e bailarinos _____ a última encenação de "O Quebra-Nozes", a qual deturpa o assunto da história.

h) Os altos cargos do Banco Nacional asseveraram que o banco vai _____ financiamento ou créditos _____ a principal companhia carvoeira da região.

i) A Fátima _____ ter melhoras, mesmo depois dos tratamentos com quimioterapia.

j) A Flora _____ potes de gerânios e de begónias _____ o jardim e _____ a varanda.

k) As autoridades públicas _____ o contrato _____ o concorrente estrangeiro por aquele ser o projeto mais económico.

l) A Verónica está a _____ a incompreensão por parte dos colegas, mas ela também nunca tenta compreender ninguém.

m) A nossa empresa _____ fazer fornecimentos de gás liquefeito ao Canadá no próximo mês de julho.

n) A administração _____ sanções pecuniárias por numerosas infrações tributárias.

o) A Linda, como espia que é, consegue _____ a memória todos os códigos e esquemas.

p) Durante a entrevista, o embaixador romeno _____ várias vezes _____ a necessidade de delimitar a fronteira marítima com a Ucrânia.

q) O Diogo _____ o seu tempo livre _____ pesquisas na internet.

35 **Complete as frases com as formas verbais e as preposições apropriadas.**

agradar	aguentar	aumentar	compensar	condenar	desfazer	desfazer-se

espalhar	espalhar-se	reatar	romper	sujeitar	sujeitar-se

a) A minha colega Natália não quis _____ esta situação e demitiu-se.

b) Os empregados de mesa deste novo restaurante marroquino faziam tudo para _____ os clientes.

c) Logo que ela soube que o Rodrigo tinha mulher e duas filhas no Brasil _____ ele.

d) Muitas vezes, o nosso chefe _____ as inovações que o Alfredo, inteligentemente, propõe para a empresa, o que o deixa muito frustrado.

e) O Alex disse-me que _____ o exame de italiano, por isso, teria de fazê-lo na segunda época.

f) A partir de outubro, o preço de uma viagem nos transportes públicos vai _____ 3 euros, o que pode significar muito para as pessoas mais necessitadas.

g) Para podermos pagar as dívidas do nosso irmão, nós _____ o apartamento que tínhamos em Salzburgo.

h) O jovem tentou levantar o haltere, mas não _____ o peso e deixou-o cair no chão.

i) Quando os cirurgiões lhes comunicaram a morte do paciente, elas _____ lágrimas.

j) O pacote caiu das minhas mãos e as sementes de pimenta _____ o chão.

k) Os agricultores da região sinistrada procederam judicialmente contra a companhia de seguros por esta se ter recusado a _____-los _____ os prejuízos.

l) Em 2013, o volume de extração de petróleo _____ 498 _____ 515 milhões de toneladas.

m) A China insta a Coreia do Norte a _____ o diálogo _____ a sua vizinha Coreia do Sul para a manutenção da paz na Península Coreana.

n) Tivemos de _____ o veneno _____ a cave e _____ o terraço, para afastarmos os ratos da casa.

o) A Rita _____ a pomada _____ a pele irritada, para aliviar a dor da picada do mosquito.

p) Tendo em conta circunstâncias agravantes o Tribunal _____-a _____ uma pena de oito anos de prisão e aplicou-lhe uma proibição vitalícia de exercer a atividade profissional.

q) Durante a guerra, os ocupantes _____ os habitantes _____ a colaboração.

36 **Complete as frases com as formas verbais e as preposições apropriadas.**

apartar   apartar-se   arcar   ater   cansar-se   diminuir   emigrar

implicar   incluir   jogar   pender   revestir   surpreender

a) A atriz _____ todos _____ a sua nova aparência: está de cabelo completamente rapado.

b) Pedro, meu amigo, peço-te: não _____ dinheiro! É um mau caminho!

c) Em 1979, a minha irmã _____ a Nova Zelândia, onde se casou com um milionário e teve cinco filhas.

d) Muitos jovens continuam _____ as ajudas dos pais e não fazem um esforço por se emancipar.

e) Este ano, as receitas das empresas de confeções _____ 64% _____ 49%, sendo um dos piores índices da última década.

f) Será que as empregadas domésticas não _____ arrumar os quartos, limpar o pó e passar a ferro todos os dias?

g) Este antigo exemplar de breviário flamengo, _____ marroquim escarlate, data do século XVI.

h) Quando éramos crianças, estávamos sempre a _____ o nosso padrasto, a altercar com ele. À nossa mãe, foi-lhe muito difícil manter o equilíbrio.

i) — Sabes o que ainda está disponível, de entre os objetos que o Rui e a Nádia _____ a lista de presentes de casamento?

— Baixela, roupa de cama, uma máquina de café e uma torradeira!

j) O meu avô, após se ter reformado, _____ gamão no parque _____ os amigos dele.

k) Desde o ano 2000 que a Helena tem de fazer fisioterapia todos os dias. Por vezes _____ aquela rotina, mas sabe que tem de persistir.

l) A cor das alcatifas e tapeçarias _____ a cor das paredes.

m) Essa mulher, que parece tão frágil, conseguiu _____ todas as calamidades que se abateram sobre a sua família.

n) Antes de tomar a decisão de se tornar monge, o Vladimir foi-se _____ a família e _____ os amigos. Agora está num mosteiro na Grécia.

o) Devido à crise, o meu salário _____ 165 euros, mas os impostos aumentaram.

p) Na sua obra, Haydn, assim como Beethoven, _____ mais _____ os géneros sinfónicos e instrumentais.

q) O pastor _____ algumas cabeças de gado _____ o rebanho, para não contagiarem as outras ovelhas.

37 Complete as frases com as formas verbais e as preposições apropriadas.

agredir	alegar	ascender	concentrar-se	cortar	despojar-se	difundir
difundir-se	empenhar-se	introduzir	introduzir-se	louvar	perceber	riscar

a) De acordo com os principais postulados desta religião, para se aproximar do ideal, cada um deve _____ vanglória, soberbia e jactância.

b) Infelizmente, ainda hoje há políticos que creem que o estado de Israel deve _____ o mapa do mundo.

c) Apesar de a Lola _____ o álcool há um ano, ela ainda está em tratamento psicológico.

d) De acordo com a religião cristã, Jesus Cristo, depois de ser crucificado e de ter ressuscitado, _____ os céus.

e) O André é um ótimo polícia. Para desvendar os planos do grupo contrabandista, ele teve de _____ ele.

f) Nelson Mandela, símbolo da liberdade e da honra, _____ a luta contra o regime da segregação racial, o *apartheid*, nos anos cinquenta.

g) Temos de _____-lo _____ o profissionalismo com que abordou este assunto, levando-o até ao fim.

h) A estimativa do processo de conversão do sistema operacional deverá _____ 879 mil euros.

i) Esta emissora de rádio _____ Cuba, a partir do território da Flórida.

j) Graças ao sogro, que o _____ o alto círculo dos empresários do México, o Carlos figura entre as pessoas mais poderosas do país.

k) O Júlio não é capaz de _____ nada. Assim, não vai conseguir passar os testes.

l) O Paulo não _____ nada _____ Física, embora a sua mãe seja engenheira.

m) Ontem, em Roterdão, às 23.30h, três "cabeças-rapadas" _____ varas de ferro dois imigrantes de origem bengali.

n) Devo _____ Deus por nos ter protegido e salvado tantas vezes.

o) Este costume gastronómico _____ toda a região do Cáucaso.

p) Antigamente, devia-se _____ um cartão _____ uma ranhura, para se poder entrar no metro.

q) O advogado _____ defesa do réu, invocando homicídio em legítima defesa.

38 **Complete as frases com as formas verbais e as preposições apropriadas.**

amoldar	amoldar-se	atinar	competir	desforrar-se
excluir	inscrever	inscrever-se	proceder	votar

a) Tendo passado por pesados sacrifícios no pós-guerra, a Vanda soube _____ as condições existentes e, sozinha, conseguiu criar quatro filhos.

b) Estou a ficar desapontado com a linha política defendida pelo Partido Socialista, por isso, vou _____ outro partido.

c) Este filme relata a história de como a heroína _____ os violadores, matando-os um a um.

d) A muitos povos, é-lhes muito difícil _____ os chineses, coreanos e japoneses em termos de capacidade de trabalho e disciplina.

e) O deputado _____ o filho _____ o seu partido, por achar que a carreira política abre portas profissionalmente.

f) Depois da derrota sofrida, ele quer _____ a humilhação que sentiu.

g) Na próxima reunião, vou _____ uma clarificação da linha do partido, para não haver ambiguidades.

h) Estando numa situação muito delicada, a Gina logrou _____ a solução mais adequada.

i) No estrangeiro, _____ os cônsules, entre outras coisas, expedir passaportes e vistos, registar nascimentos, casamentos e óbitos.

j) Esse provérbio _____ o conhecimento empírico adquirido ao longo de anos por muitas gerações.

k) Quero _____ o concurso público dos Correios em 2014. Qual é o edital?

l) A nossa firma deve tentar _____ uma nova área, tal como equipamento e produtos de higiene para instalações sanitárias.

m) Os advogados do Estado provaram que a empresa _____ ilegalmente _____ a exploração e _____ a extração de madeiras.

n) Se realmente quiseres emagrecer, deverás _____ a tua dieta o açúcar, as gorduras e o álcool.

o) Eram cinco da manhã e os dois jovens, muito embriagados, não _____ o caminho para casa.

p) Muitas famílias emigrantes devem _____ os seus hábitos _____ os costumes do país anfitrião.

q) Os condóminos do prédio desabado vão _____ o gabinete de arquitetura e a empresa de construção responsáveis pela obra.

39 **Complete as frases com as formas verbais e as preposições apropriadas.**

alinhar	arremeter	atingir	cingir-se	concordar	discutir	fartar-se
intervir	isentar	relegar	seguir-se	transferir	transferir-se	viajar

a) O atleta não vai _____ a seleção olímpica por razões pessoais.

b) Os países que assinaram o tratado podem _____ o conflito armado se se tratar de ameaça à integridade territorial.

c) Pelo menos 31 vítimas ainda ficam no hospital central em Coimbra, após um carro _____ a multidão.

d) Quanto mais _____ nós mais tempo perdemos. Já te explicámos tudo.

e) Em agosto passado, _____ carro _____ toda a Bélgica.

f) O Bruno _____ lhe implorar perdão, até que, descontrolado, começou a gritar.

g) A Cláudia dedicava toda a sua atenção aos problemas do irmão, _____ segundo plano a vida íntima, amigos e trabalho.

h) Devido ao agravamento brusco do estado do José, os médicos _____-no _____ a Unidade de Cuidados Intensivos.

i) O estudo deste problema não _____ exclusivamente _____ os aspetos morais ou éticos; é uma pesquisa universal.

j) O Dr. Soares _____ dar uma entrevista ao jornal *Expresso*, com a condição de poder determinar as perguntas.

k) Presentemente, as fábricas têxteis europeias estão a _____ países asiáticos onde há mais condições para a produção.

l) Se não _____ a avaliação que recebeste, podes contestá-la.

m) Os distúrbios estudantis na capital grega _____ a greve geral convocada pelos sindicados.

n) Apesar de todos os três candidatos terem realizado uma campanha eleitoral notória e _____ os debates televisivos, a afluência às urnas foi apenas de 45%.

o) Hoje, a cidade síria de Alepo _____ quatro mísseis de curto alcance, o que fez 26 vítimas mortais.

p) No decorrer da reunião, os representantes do Azerbaijão e do Usbequistão _____ a posição da Turquia no que diz respeito aos direitos aduaneiros.

q) O facto de ele ignorar as leis não o _____ a responsabilidade.

40 Complete as frases com as formas verbais e as preposições apropriadas.

| alistar-se | anuir | associar | associar-se | bater | bater-se | despejar |
| dissociar | encantar-se | hesitar | isolar | isolar-se | rematar |

a) A história da gastronomia portuguesa não se pode _____ a época dos Descobrimentos.

b) Não sei o que fazer, estou tão indecisa: _____ partir para Portugal ou ficar aqui, em Haia.

c) No encontro com o Ministro das Relações Exteriores brasileiro, o seu homólogo chileno confirmou que o seu país _____ levantar as restrições à importação de alguns bens de consumo.

d) Desde a adolescência, a Carolina sempre foi uma pessoa sombria e pouco sociável. No fim da vida _____ a família e _____ os amigos.

e) Se os russos continuam fiéis ao regime de Assad, os americanos _____ envolver--se num "segundo Afeganistão", já que sabem quais podem ser as consequências.

f) Este grupo ecológico _____ a preservação dos lagos e albufeiras e contra a poluição por resíduos radioativos.

g) Nos anos 90, o escritor _____ uma pequena cidade do Montenegro, onde morou até à sua súbita morte em 2009.

h) O reitor _____ o seu discurso _____ várias observações críticas em relação aos planos de estudos nos anos anteriores.

i) Eu _____ sempre a Hungria _____ a sua língua "áspera", _____ as admiráveis belezas de Budapeste, _____ vinho e comida estupendos e, por fim, _____ a arte esplêndida deste país.

j) Na generalidade, o Presidente, homem de soluções ponderadas, _____ as iniciativas do Parlamento e apoia-as na íntegra.

k) Aproximei-me da casa, subi as escadas e _____ a porta.

l) O Parvaz _____ uns mocassins caríssimos que encontrou numa sapataria da rua de Santa Catarina.

m) Após o homicídio ocorrido na cela, aquele criminoso reincidente _____ o cárcere.

n) Segundo a lei deste país, a partir dos 16 anos todas as pessoas, homem ou mulher, podem _____ o exército, embora o serviço militar não seja obrigatório.

o) O Klaus _____ um clube de caça, pesca e tiro, e agora passa todos os fins de semana fora da cidade.

p) Para não poluir a praia, deve-se _____ as beatas e o resto de comida _____ o caixote do lixo.

q) Segundo os cientistas, _____ os filhos não educa, antes pelo contrário, só agrava os problemas.

41 Complete as frases com as formas verbais e as preposições apropriadas.

| apoiar | aspirar | atrever-se | circular | concluir | desenvencilhar-se | destacar-se |

| exilar-se | instalar-se | sentar-se | suceder | unir | unir-se |

a) Quando comecei a trabalhar em Lisboa, _____ um apartamento lindo ao pé do jardim do Príncipe Real.

b) Os partidos da oposição, que assumem uma posição de linha dura no que se refere a esta iniciativa, _____ o Governo.

c) A língua romena _____ as outras línguas românicas, pois teve uma forte influência de turco, grego, húngaro e línguas eslavas.

d) "Os infelizes gostam de _____ uns _____ os outros". (Lessing)

e) Durante os anos da ditadura militar, o poeta _____ a Suíça, onde criou os seus mais belos poemas.

f) Os hóspedes _____ a mesa, _____ as cadeiras holandesas do século XIX, sendo a refeição servida com louça de fina porcelana da Companhia das Índias.

g) O que _____ o Bernardo é uma fatalidade! Coitado!

h) Queremos _____ a Patrícia _____ a realização do projeto social que tem em mãos.

i) O novo teatro experimental _____ a sua primeira temporada _____ a peça "Casa de Bonecas" de Henrik Ibsen, que foi um enorme êxito.

j) Jamais irei a esse mercado! Não saberia como _____ os vendedores impertinentes.

k) O estilo artístico de Caravaggio _____ o dos seus contemporâneos _____ o impacto realista e _____ o uso da luz e sombra.

l) Preciso de alguém que saiba como _____ a legenda _____ o filme.

m) O Nuno não _____ contar-lhe a verdade porque sabe que a Luz ficará desapontada.

n) Em 2014 o Conclave elegeu o argentino José Mário Bergoglio, o Papa Francisco, o qual _____ Bento XVI.

o) Perante o que acima foi referido, nós sempre _____ o que for necessário: as ideias e propostas que sejam apresentadas.

p) A geração de jovens de hoje _____ viver na abastança, ou seja, tende a um estilo de vida cheio de comodidades.

q) Um autocarro cheio de turistas _____ um bairro de Lisboa com alguma dificuldade devido às ruas estreitas e de difícil acesso.

42 Complete as frases com as formas verbais e as preposições apropriadas.

| apostar | atentar | concorrer | confrontar-se | dispensar | dispensar-se |
| incutir | interrogar | irromper | posar | protestar | terminar |

a) O laureado _____ o seu discurso _____ o agradecimento aos organizadores do concurso vocal.

b) Vou _____ uma empresa pública em Viseu. Oxalá consiga esta colocação!

c) O alegado chefe da seita _____ falsos ensinamentos _____ a mente dos seus seguidores.

d) É um mau princípio, em qualquer jogo familiar, as pessoas _____ dinheiro; cria maus hábitos a quem joga, sobretudo aos mais novos.

e) Os profissionais do ensino e da cultura _____ o subfinanciamento que vai afetar universidades, bibliotecas, museus e orquestras.

f) O médico _____ a minha filha _____ a aula de Educação Física por ela ter problemas respiratórios.

g) A modelo checa _____ a revista "Elle" do mês passado _____ um decote muito acentuado.

h) Todos os dez acusados, que _____ o poder comunista, foram fuzilados.

i) Durante o conflito étnico, os membros do grupo radical _____ a igreja, destruindo-a e batendo nos sacerdotes.

j) Nos seus programas eleitorais, os candidatos a deputado _____ a reabilitação do património cultural.

k) Quando os jornalistas os _____ os cortes no orçamento do próximo ano, ambos os políticos se mostraram reticentes e não revelaram nada.

l) Quanto a mim, _____ responder a quaisquer perguntas desse tipo.

m) As pequenas e médias empresas nigerianas _____ um alto nível de corrupção, papelada e burocracia.

n) Quando rediges um contrato, deves _____ melhor _____ todas as formulações e cláusulas.

o) Linda, sabes como se pode _____ uma bolsa de estudo em Espanha?

p) O tiroteio de ontem no restaurante brasileiro _____ duas mortes e fez três vítimas.

q) Um jovem alucinado _____ entre a multidão e tentou atingir o cantor que estava a atuar em palco.

43 Complete as frases com as formas verbais e as preposições apropriadas.

adoecer	desviar	desviar-se	discordar	ecoar	importar	importar-se
induzir	inteirar-se	rebaixar-se	renascer	superar	testemunhar	uivar

a) Este ramo de flores _____ -me _____ a ideia de que o João tem um fraco por mim.

b) A Estela _____ pouco _____ o que pensam e dizem dela.

c) Muitas vezes, tenho de _____ o meu olhar _____ o Mário. É tão atraente e viril!

d) Portugal _____ petróleo _____ Angola e automóveis _____ o Japão.

e) O berro, estridente e violento, _____ toda a aldeia.

f) A Marta telefonou para o hospital para _____ o estado de saúde do Zé.

g) A Joana _____ gripe e não foi à festa da Raquel.

h) Perante o júri, não pude mentir, por isso, lamentavelmente, tive de _____ a Laura.

i) Geralmente, a nossa professora de História _____ o tema da lição e começa a contar os eventos da sua vida.

j) _____ falar mais devagar? Não sou portuguesa.

k) Tu consegues _____-me _____ a culinária. És um verdadeiro cozinheiro!

l) _____ quanto _____ as obras que fizeste em casa? Foram caras?

m) O Parlamento Europeu _____ inteiramente _____ as declarações do Presidente Vladimir Putin.

n) Não quero _____-te _____ erro, mas estou segura de que Sydney é a cidade mais populosa da Austrália.

o) Sou orgulhosa, não vou _____ o Jorge. Quem é que ele julga que é?

p) Tendo conseguido vencer aquela doença, foi como se _____ a vida.

q) Os cães, geralmente, podem rosnar, latir ou _____ medo, alarme ou simplesmente _____ solidão.

44 Complete as frases com as formas verbais e as preposições apropriadas.

acudir	acostar	apetrechar	cifrar-se	decorrer	expulsar	figurar	grassar
inferir	haver-se	libertar	libertar-se	maçar	relacionar-se	rimar	virar-se

a) Amor _____ ardor, mas não _____ traição.

b) Todas as coisas na nossa vida _____ umas _____ as outras.

c) O Júlio não consegue _____ o complexo de inferioridade.

d) Essa liberdade de atitudes _____ o facto de ele ser um presumido.

e) Os nomes dos oligarcas russos _____ sempre _____ a lista dos homens mais ricos do mundo.

f) Chamaram-na de mentirosa e ingrata e _____-na _____ casa.

g) Depois de um cruzeiro no mar Egeu, o barco _____ o cais do porto de Esmirna.

h) A fome _____ todo o território, sem haver sinais de qualquer apoio vindo do exterior.

i) O número de vítimas em Recife _____ mais de duas centenas.

j) A literatura portuguesa _____ as melhores literaturas da atualidade.

k) Como é que vou _____ o diretor da escola depois de toda essa vergonha?

l) Os bombeiros _____ socorro da população e apagaram o fogo em vinte minutos.

m) Quando encontro o Pedro, _____-me sempre _____ pedidos difíceis de realizar.

n) Com o apoio financeiro dos patrocinadores, a Câmara Municipal _____ o colégio _____ computadores.

o) Creio que posso _____ as tuas palavras que apoias uma intervenção armada.

p) De repente, ela _____ mim e disse-me tudo o que sentia.

q) Somente o psicanalista pôde _____-lo _____ a dependência afetiva da mãe.

45 **Complete as frases com as formas verbais e as preposições apropriadas.**

achar	achar-se	apear-se	blasfemar	caminhar	coagir	divergir

encontrar-se	enveredar	ilibar	recair	somar	ultrapassar	voar

a) Algumas pessoas _____ a política não por razões de interesse nacional, mas sim, para seu benefício pessoal.

b) Paradoxalmente, os que mais apelavam à justiça e se manifestavam contra a corrupção, eram exatamente aqueles _____ quem _____ mais suspeitas.

c) As opiniões da maioria _____, em muitos aspetos, _____ as posições defendidas nos Estados Unidos.

d) À beira-mar, as gaivotas _____ um céu límpido, muito azul.

e) _____ Deus significa fazer gestos injuriosos ou dizer palavras ultrajantes.

f) Apesar dos violentos debates que precederam a sentença, o juiz _____ os arguidos _____ as responsabilidades que lhes cabiam.

g) O Peter é muito comedido. Nunca sabemos o que é que ele _____ o que ocorre diariamente.

h) Gosto de _____ o centro de Lisboa, sobretudo _____ as árvores da Avenida da Liberdade.

i) A nossa escolha _____ a marca chinesa, por ser menos cara do que as marcas europeias.

j) É estranho, mas tudo o que estás a dizer _____ contradição com as ideias que defendias antes.

k) Quando estou no Algarve, costumo _____ a praia de madrugada e de noite.

l) Para chegares até Verbier, é preciso que _____ o comboio, _____ a estação de Martigny.

m) Depois daquele momento duro da sua vida, ele _____ condições de poder voltar a cantar.

n) Passadas cinco semanas após a fratura, já é capaz de _____ casa _____ a estação do Rossio.

o) Aproveitando-se do seu cargo, ele _____ os subordinados _____ esconder as quantias reais da receita da empresa.

p) _____ dois _____ cinco, são sete.

q) O João _____-me _____ os cálculos matemáticos, porque é mais ágil mentalmente do que eu.

46 **Complete as frases com as formas verbais e as preposições apropriadas.**

> agraciar   aposentar-se   aprimorar-se   assegurar-se   capacitar-se   conspirar
>
> demover   desaguar   elucidar   especular   gemer   perorar   reapossar-se
>
> recompor-se   viciar   vincular   zombar

a) Ela dificilmente _____ o susto que apanhou no ascensor.

b) O meu marido já _____ o nosso filho _____ os perigos do sexo sem precauções.

c) A minha tia passou a noite a _____ dores nos rins.

d) Tentámos _____-la _____ participar na manifestação, mas foi impossível.

e) A pianista Maria João Pires _____ um ramo de rosas, em sinal de gratidão pelo concerto que deu a favor das vítimas de SIDA.

f) Segundo fontes fidedignas, os deputados da direita _____ alguns membros do Parlamento.

g) Enfim, ela _____ que seria capaz de escrever um livro histórico.

h) Na sessão plenária, o ministro _____ a justiça em Portugal, _____ um monólogo de inexpugnável retórica.

i) No decorrer de uma batalha feroz e sangrenta as tropas soviéticas _____ um sector da frente ucraniana.

j) O André perdeu o emprego e os amigos porque _____ o jogo. Contudo, persiste nesse hábito.

k) É prematuro _____ a possível absolvição do réu, porquanto não se sabe se há provas irrefutáveis da sua inocência.

l) Em 1976, ele foi nomeado Almirante da Armada, até _____ a carreira militar dezasseis anos depois.

m) O Rio Volga, após percorrer um pouco mais de 3.500 km, _____ o Mar Cáspio.

n) Durante o estágio de dois anos na Universidade de Estugarda, o Ralf _____ a interpretação simultânea.

o) Depois de sair de casa, o Joaquim _____ que a porta estava trancada.

p) "Os soberbos _____ grandemente _____ mim; contudo não me desviei da tua lei". (Salmos 119:51).

q) Como é que posso _____ a minha conta do *Instagram* _____ a do *Facebook*?

47 Complete as frases com as formas verbais e as preposições apropriadas.

alhear-se　alternar　cozinhar　desdenhar　despachar　despachar-se　escorregar　escudar-se

furtar-se　guarnecer　incorporar　militar　misturar-se　propagar-se　trabalhar

a) No parque do antigo castelo, _____ tílias cheirosas _____ choupos frondosos.

b) A Helena está muito empenhada no projeto pedagógico, por isso _____ ele, sempre com gosto e também _____ amor à sua língua.

c) Soube-se que duas empresas do grupo "Fabex", a fábrica de moagem de cimento e a rede de panificadoras e confeitarias "Deli", _____ a tributação fiscal durante quatro anos.

d) Devemos _____ a mercadoria _____ Cabo Verde hoje mesmo!

e) Desde os tempos da universidade, o Jorge _____ o Partido Comunista, _____ a ditadura de Salazar, pensando que o comunismo era pela liberdade de expressão. Porém, mais tarde, viu que os métodos eram idênticos.

f) Ao navegar na Internet, o Jacinto _____ a realidade, isto é, de tudo aquilo que o rodeia. Até se esquece de comer!

g) Os juristas da empresa _____ as armadilhas das leis para contornarem questões delicadas da empresa.

h) Omar, tens de _____ a paginação. O tempo urge.

i) A porta-voz da companhia informática "Comput" declarou que os engenheiros vão _____ uma nova interface e outras aplicações _____ a quinta versão do dispositivo.

j) A comunidade internacional não pode _____ a situação que se vive na Líbia, situação que a Liga Árabe classifica como "catastrófica".

k) Segundo as autoridades madeirenses, o fogo está a _____ o Pico Ruivo.

l) Se queres preparar este prato, deves _____-lo _____ lume brando, acrescentando um pouco de azeite.

m) Esta doença, causada por uns parasitas altamente perigosos, é capaz de _____ os mamíferos e _____ os répteis.

n) Quando eu era uma menina, a minha tia costurou-me um traje carnavalesco para uma festa e _____-o _____ lantejoulas e renda bordada.

o) Eu não sabia que a Célia era tão arrogante. Ela _____ tudo e _____ todos que não sejam do seu nível social.

p) As crianças foram em passeio à Serra da Estrela e divertiram-se _____ a neve.

q) A Teresa é muito snobe e proíbe os filhos de se darem com o filho do caseiro; diz que não podem _____ a ralé.

48 Complete as frases com as formas verbais e as preposições apropriadas.

| aflorar | arreigar-se | cuspir | disfarçar-se | descarregar | deslumbrar-se | desprender-se | equivaler |

| fundir-se | insurgir-se | projetar | projetar-se | remexer | remontar | saturar | saturar-se |

a) Em Singapura, se _____ o chão ou atiras beatas, tens que pagar uma multa.

b) Os presos das duas maiores prisões da cidade _____ as condições inumanas e a superlotação nas celas.

c) O facto de os pais _____ os filhos não é bom. É prejudicial para eles.

d) No câmbio de moedas de hoje, 100 euros _____ 86 libras esterlinas, _____ 746 coroas dinamarquesas e _____ 123 francos suíços.

e) Os acionistas desta empresa telefónica devem decidir se _____ outra empresa de telecomunicações ou se declaram falência.

f) Este aparelho permite _____ as imagens _____ quatro dimensões.

g) Para poderes ler este ficheiro em formato .doc tens de _____ o Microsoft Word _____ o teu computador.

h) Quando estive pela primeira vez em Lisboa, _____ a vista do miradouro da Graça.

i) A nossa empregada _____ a água _____ açúcar.

j) Não devemos _____ o passado. Temos de viver o momento presente com positivismo.

k) Os anúncios caíram ao chão, pois os pregos que os fixavam _____ o quadro.

l) Na festa, o Zé, que é muito hábil, _____ palhaço e mostrou-nos uns truques dificílimos.

m) Os portuários _____ a carga _____ o cais durante toda a noite.

n) A história do fado, género musical português, _____ o século XVIII, início do século XIX.

o) São hábitos que _____ a população ao longo dos tempos.

p) Depois do temporal, as algas _____ a superfície.

q) Não tenho mais paciência! _____ ver a cara "azeda" dele, invariavelmente, todos os dias.

49 **Complete as frases com as formas verbais e as preposições apropriadas.**

adiar	afluir	arfar	cruzar-se	desvincular-se	encobrir	encobrir-se

esgueirar-se	fascinar-se	fustigar	infiltrar-se	omitir-se	perturbar-se	remeter	remeter-se

a) Depois de uma longa caminhada, _____ cansaço, cheguei finalmente ao Miradouro do Alto da Pena: que vista deslumbrante! Valeu a pena o esforço!

b) De manhã estava um dia claro, o céu límpido, mas, de tarde, o sol _____ nuvens escuras e passado pouco tempo a chuva caía.

c) Os agentes secretos deviam _____ a célula terrorista para poderem desmantelar toda a rede.

d) O Augusto anda a _____ tarefas e compromissos _____ mais tarde, _____ amanhã, _____ a semana que vem. A isso se chama procrastinação!

e) Tal interpretação do problema _____-nos _____ a lei que aborda o assédio sexual.

f) Nas noites da sexta e de sábado, os jovens _____ o Lux, o melhor clube e discoteca da cidade de Lisboa.

g) Durante o tempo anterior ao julgamento, muitos pedófilos _____ a presunção de inocência.

h) Todos os dias _____ a Dora no escritório, mas ela nunca me saúda nem acena.

i) O pintor, com tendências de sadismo, _____ a amante _____ um chicote.

j) Vendo as imagens da catástrofe, _____ fortemente _____ o olhar de sofrimento das pessoas.

k) A Leonor tem uma cicatriz no pescoço que _____ sempre _____ um cachecol.

l) A resina _____ a casca do pinheiro e solidificou como gotas de âmbar.

m) Ontem à noite, no teatro, nós _____ a voz de Elisabete Matos em "La Bohème", no papel de Mimi.

n) De repente, ela começou a sentir-se vigiada e decidiu _____ uma igreja, para não ser reconhecida.

o) Na conferência de imprensa, o Secretário de Estado declarou que _____ a decisão tomada pelo vice-primeiro-ministro.

p) A Camila, como sempre, _____ o grupo e deixou a festa sem dizer adeus.

q) Na reunião do Conselho Superior de Magistratura, um dos membros _____ comentar a nova lei do aborto.

50 **Complete as frases com as formas verbais e as preposições apropriadas.**

acordar	acrescentar	colar	colar-se	enfeitar	enquadrar-se	estatelar-se	honrar

polvilhar	preservar-se	qualificar	rabujar	recalcitrar	rotular	trespassar	vacilar

a) Durante a reunião, a maçadora da Sara _____ nós e não nos deixou em paz um minuto sequer.

b) Aos cinquenta anos, o Inácio _____ o budismo, leu toda a literatura budista e até foi ao Tibete duas vezes.

c) Os membros do departamento decidiram _____ o presidente _____ um louvor e um jantar de despedida.

d) Estes programas culturais _____ a celebração do bicentenário do nascimento de Verdi.

e) O bandido assaltou-o, roubou-lhe tudo e _____-lhe o corpo _____ balas.

f) O chanceler preferiu não revelar detalhadamente o conteúdo das negociações mas _____-as _____ construtivas.

g) A Amália _____ muita gente _____ todos os epítetos negativos, não sendo ela um modelo a seguir.

h) Aconselho-te a _____ amido e baunilha _____ a massa. Assim, ficará melhor.

i) Decidimos _____ as cortinas _____ franjas e folhos.

j) Os políticos desse pequeno país, autointitulados de independentes, _____ sempre _____ os dois polos.

k) Para um gosto mais intenso, podes _____ o prato _____ estragão, coentros ou açafrão.

l) O velho capelão _____ o ouvido _____ a porta para escutar a conversa entre o conde e o escudeiro.

m) O que significa a frase bíblica "Duro é para ti _____ os aguilhões"?

n) Em certos laboratórios da fábrica, os empregados usam máscaras antigás, a fim de _____ emanações tóxicas.

o) Ao aterrar, o trem de aterragem bateu na cerca e a cauda do avião atingiu o solo. Nesse momento, o avião _____ a pista.

p) A senhoria e os inquilinos _____ o prazo do pagamento das rendas.

q) Dantes, os meus avós _____ um _____ o outro todos os dias.

51 **Complete as frases com as formas verbais e as preposições apropriadas.**

alastrar	arrancar	bendizer	cismar	descolar	espreitar

ferir	imiscuir-se	jorrar	migrar	moderar-se	precaver-se

rebentar	responsabilizar	responsabilizar-se	safar	safar-se	sobressair

a) O petróleo _____ os poços em grande abundância.

b) Tenho de _____ Deus pelos filhos dedicados que tenho!

c) No duelo com o cavaleiro, o mosqueteiro fê-lo perder as estribeiras, _____ a arma _____ as mãos dele e _____-o _____ a espada.

d) Estou exausta do trabalho! A triagem da documentação _____ (eu).

e) Nenhum dos políticos e economistas quer _____ a inflação desenfreada que fustiga este país.

f) É feio _____ a fechadura, mas é disso mesmo que se ocupam os serviços secretos de muitos países.

g) Preciso de _____ a etiqueta _____ a garrafa, acho-a muito inestética.

h) O Procurador-Geral da República _____ a Polícia Judiciária _____ a fuga de informação secreta sobre o processo de pedofilia em averiguação.

i) É inegável que não se pode _____ os assuntos de outrem, mas nem todos seguem esta regra.

j) O avião da Ryanair _____ o aeroporto de Faro às 14.15h.

k) O António tem um amigo na polícia que vai ver se o _____ a multa por excesso de velocidade.

l) As pessoas que querem _____ sofrer um Acidente Vascular Cerebral não devem fumar, devem manter a pressão arterial sob controle e _____ o consumo de álcool, sal e gorduras.

m) O António, conduzindo a alta velocidade, não conseguiu _____ ser apanhado pela Brigada de Trânsito.

n) Na primavera, melros, tordos, gralhas, tentilhões, garças e cegonhas _____ Sul.

o) O cor de rosa choque do vestido da artista _____ tudo e _____ todos na entrega dos troféus.

p) A peste _____ todo o país, causando centenas de mortos.

q) O Joaquim, muito deprimido pela sua triste vida, _____ pôr termo à mesma.

52 Complete as frases com as formas verbais e as preposições apropriadas.

aterrar	avir-se	desafiar	desculpar	desculpar-se	erguer-se	esconder

esconder-se	inserir	inserir-se	resumir	resumir-se	retratar-se

a) O Rudi soube _____ o horário do seu novo trabalho. Está de serviço das sete da manhã às nove da noite de três em três dias.

b) O colóquio _____ meia dúzia de lugares-comuns, sem qualquer novidade, sem interesse.

c) A citação que escolheste, "um homem de palavra vale mais que um homem de poder", pode _____ o conceito de honra.

d) Convidamos o senhor embaixador a _____ estas declarações escandalosas, se não, pelo menos, a explicar-se.

e) Podes mostrar-me como _____ uma nota de rodapé _____ o documento?

f) Cheia de indignação, a condessa, pálida, _____ a poltrona e gritou "— Fora daqui!"

g) A Rosa quer passar as férias do Natal na Islândia, mas para isso terá de _____ os pais.

h) Pouco antes da chegada dos nazis, os meus pais _____-me _____ um barril vazio, de onde ouvi os soldados a torturá-los.

i) Ontem, o Caio _____-me _____ tocar uma sonata de Chopin, mas recusei-me a fazê-lo.

j) Chegada quinze minutos depois do começo do ensaio, a Viviana _____ o despertador avariado.

k) O ex-ministro _____ o atual presidente _____ um debate frente a frente na televisão pública.

l) A famosa Torre dos Clérigos no Porto _____ o céu com grande imponência — é um monumento lindo!

m) Posso _____ a minha atitude para com essa gente _____ três palavras: uma profunda aversão.

n) A minha avó, que, como se revelaria depois, fora dama de honor na corte russa, _____ nós a verdade sobre a sua origem.

o) Um avião que fazia a ligação entre São Miguel e a Terceira _____ Ponta Delgada com 35 passageiros a bordo, devido a uma falha num dos motores.

p) O Castelo de São Jorge _____ a mais alta colina de Lisboa, dando uma vista magnífica sobre o centro da cidade e o estuário do Tejo.

q) O Alberto é um torturador! Não vamos _____-lo _____ os maus tratos infligidos aos animais.

53 Complete as frases com as formas verbais e as preposições apropriadas.

atirar	atirar-se	avançar	avistar-se	desarvorar	desavir-se

descartar-se	distinguir	distinguir-se	engasgar-se	mudar	mudar-se

a) Durante as invasões francesas, as tropas portuguesas _____ as tropas francesas e bateram-se valentemente.

b) Os daltónicos têm dificuldade em _____ uma cor _____ outra.

c) Aos 70 anos, a Yvette _____ casa. Teria sido muito difícil para ela.

d) Depois da repreensão que recebeu dos pais, revoltada, a jovem _____ casa dos pais e foi viver com um amigo.

e) Fizemos uma limpeza geral em casa e _____ todos os objetos desnecessários que só ocupavam espaço.

f) Fico chocada quando vejo as pessoas a _____ lixo _____ o chão.

g) Tenho de _____ roupa porque suei muito no comboio.

h) Ontem quando fomos jantar ao Bairro Alto um estudante alemão _____ uma espinha de peixe. Tivemos de o levar ao hospital.

i) Camões _____ os melhores poetas portugueses de todos os tempos.

j) Em que ano é que a família real portuguesa _____ o Brasil?

k) Os dois irmãos _____ a irmã mais velha por ela ser autoritária e interesseira.

l) O cão-polícia _____ o assaltante, impedindo-o de fugir.

m) A situação económico-financeira _____ pior em todo o mundo.

n) O Ministro brasileiro da Agricultura, Pecuária e Abastecimento _____ o seu homónimo espanhol, para concertarem posições estratégicas.

o) Tememos que o controlo da situação _____ mãos.

p) Vasco da Gama _____ ter descoberto o caminho marítimo para a Índia em 1498.

q) A família Espírito Santo e outras famílias de capitalistas _____ o Brasil, após o 25 de abril 1974.

54 Complete as frases com as formas verbais e as preposições apropriadas.

alvejar	aperceber-se	aplicar	aplicar-se	cravar	desleixar-se	despenhar-se

enraizar-se	esperar	furar	rumar	salpicar	subtrair	transtornar-se

a) Consoante a lenda, este herói da mitologia grega _____ o mar Egeu por ter desobedecido aos conselhos do pai. Quem é esse herói e quais foram os conselhos?

b) Ainda que o filho da Ester _____ os estudos, não conseguiria trabalhar no ministério porque ela não tinha lá ninguém a quem meter uma cunha.

c) O berbequim é uma máquina com hastes metálicas por dentro: as brocas; pode-se _____ ele: vidro, mosaico ou madeira.

d) Quando o Leandro lhe disse que tudo estava acabado, a Glória atirou-se a ele gritando, _____-lhe as unhas _____ as costas e depois começou a lacerar-se na cara; foi um pesadelo!

e) O número 18 _____ 98, dá 80.

f) Quando os apoiantes do ex-presidente tentaram furar o bloqueio, a polícia _____-os _____ bombas de gás lacrimogéneo e balas de borracha.

g) És uma idiota se _____ o Miguel que ele te compre anéis e colares.

h) O feto e a hera _____ as frinchas das portas do solar e ninguém conseguia lá entrar.

i) Decidimos que o melhor era _____ a teoria _____ a prática.

j) O diretor do Teatro Nacional D. Maria II era forçado a _____ as atas das reuniões declarações politicamente inconvenientes.

k) Só as pessoas muito perspicazes _____ que tudo aquilo não daria em nada; viu-se, depois, que ficou tudo em águas de bacalhau.

l) Sempre que o visito _____ o seu aspeto decadente e degradado.

m) Como tínhamos combinado, eu _____ ele no arvoredo perto do lago, mas o Sérgio não veio.

n) Estava a montar um cavalo lusitano numa mata de pinheiros. De repente, caí e acordei, _____ então _____ que era um sonho.

o) Depois de cobrires o bolo com chocolate, tens de _____-lo _____ a raspa de uma laranja.

p) O Uriel idolatra tanto o sexo feminino que não aprecia as mulheres que _____ a aparência.

q) Um navio de escolta, um porta-aviões e dois cruzadores _____ uma base naval no Pacífico.

55 Complete as frases com as formas verbais e as preposições apropriadas.

abdicar	absolver	ancorar	brigar	brotar	copiar	diluir	deslizar

deslocar-se	multiplicar	multiplicar-se	presidir	sacar	sacrificar	sacrificar-se

a) Nas aulas de Biologia, o meu colega Zé _____ sempre _____ mim.

b) Em maio de 2013, a Rainha Beatriz da Holanda _____ o cetro e _____ o trono a favor do filho herdeiro Guilherme Alexandre.

c) O Ministro da Cultura da Arménia _____ esta sexta-feira _____ a capital da Geórgia, Tbilisi, para _____ a inauguração do Centro Cultural arménio.

d) O elétrico 28, cheio de turistas, _____ os carris até ao bairro da Graça.

e) Nem todos os países da União Europeia estão dispostos a _____ uma parte da soberania no que concerne à moeda comum.

f) A pobre mãe _____ a sua vida pessoal _____ os cuidados do filho doente.

g) O Tribunal _____ hoje cinco arguidos (todos funcionários do Estado) _____ a acusação de peculato e desfalque de fundos públicos.

h) O vagabundo, muito bêbado, _____ a navalha e tentou golpear o agente da polícia.

i) Se nós _____ 17 _____ 89 obteremos 1513.

j) Dois navios de carga, com os primeiros lotes de trigo, cevada e centeio _____ ontem _____ o porto egípcio de Alexandria.

k) Apesar de a Fiona _____ o filho, ele tornou-se muito mimado e ingrato.

l) Para obteres essa substância, precisas de _____ a cera fundida _____ aguarrás.

m) Os casos de gripe asiática _____ muitas centenas de pessoas.

n) O absinto e a salva podem _____ o solo árido ou semiárido.

o) Não conseguimos _____ ela onde o Átila guarda as fotos comprometedoras.

p) Tenho de escolher: ou _____ tudo e viver em paz com a família na Bulgária, ou continuar aqui arriscando-me cada dia.

q) A Débora _____ os amigos _____ uma ninharia e logo fica amuada.

56 Complete as frases com as formas verbais e as preposições apropriadas.

abnegar	absorver-se	alertar	desabafar	descurar-se	dissolver	flutuar	pairar
pecar	pendurar	ressaltar	restituir	sensibilizar	sobrepor-se	subjugar	vacinar

a) O Ministério da Defesa Nacional decretou o estado de emergência na região e _____ uma vez mais _____ possíveis desabamentos de terras na zona da tragédia.

b) A Clara _____ si, _____ os seus sonhos e desejos _____ as filhas que tinha de criar.

c) O nosso terapeuta não crê que devamos _____ os filhos _____ a varíola.

d) Nesta região do Próximo Oriente, a maioria sunita tenta _____ a minoria xiita _____ o seu domínio religioso e social.

e) As colunas trabalhadas do Mosteiro dos Jerónimos _____ todo o conjunto arquitetónico do edifício.

f) O ar estava pesado, previa-se chuva. As nuvens baixas e cinzentas _____ a planície.

g) No exame, o professor de Química perguntou-nos se o cianeto de potássio _____ a água. Não sabíamos responder.

h) A Ingrit _____ tanto _____ o guião que lhe tinham pedido que mal comia.

i) Ainda bem que temos amigos _____ quem podemos _____.

j) Hoje, o meu neto perguntou-me como é que os navios _____ a água. Tentei explicar-lhe com ajuda da lei de Arquimedes.

k) Os organizadores da exposição de Botticelli decidiram _____ a Sala Grande só três quadros: "Adoração dos Magos", "Anunciação" e "Deposição da Cruz".

l) Quase todos os objetos furtados _____ os turistas letões passadas apenas duas horas.

m) O clamor da multidão _____ a Praça do Palácio e o Almirantado.

n) Segundo a polícia eslovaca, a operação da fiscalização a veículos, que decorrerá amanhã, visa _____ os cidadãos _____ uma condução prudente.

o) A inteligência, eloquência e simplicidade do professor Agostinho da Silva _____ o seu aspeto físico, tão insignificante.

p) A Madalena não podia _____ a saúde da filha, pois esta era diabética.

q) A igreja católica aconselha os crentes a não _____ os preceitos divinos.

57 **Complete as frases com as formas verbais e as preposições apropriadas.**

antecipar-se	arrebatar	arrebatar-se	banhar-se	coadunar-se	degenerar
encaminhar	encaminhar-se	esgotar-se	nutrir	ofuscar-se
prolongar-se	querelar-se	rodar	sucumbir	treinar-se	untar

a) Muitos atletas com deficiências físicas _____ os Jogos Paraolímpicos que decorreram na cidade de Sóchi, em 2014.

b) Uma das vítimas do descarrilamento de comboio na Baviera acabou por _____ as queimaduras sofridas, uma vez que 81% do corpo foi atingido.

c) As portas da sala de estar rangem, por isso, preciso de alguém, se calhar de um carpinteiro, que me _____ as dobradiças _____ algum lubrificante.

d) Os Carneiros _____ bem _____ os Leões e os Escorpiões, mas _____ os Touros e os Capricórnios, não.

e) As carruagens, oscilando durante a viagem, _____ caminhos poeirentos.

f) Geralmente, os discursos de Fidel Castro _____ muitas horas e os cubanos que o escutavam não arredavam pé.

g) _____-lhe a vista _____ o fulgor e o esplendor da vida que levava aquela abastada família.

h) Os ornitólogos aconselham a _____ as aves domésticas _____ ervilha, lentilha, grão-de-bico e feijão.

i) O Zoran _____ o banco por lhe terem cobrado uma taxa indevidamente.

j) Aquela fruta exótica vendida no supermercado _____ poucos dias.

k) O conselheiro da embaixada _____ o pedido _____ o respetivo consulado.

l) Eu _____ a minha filha e dei a notícia da sua promoção a toda a família.

m) A Teresa, muito emocionada, _____ as cenas finais do filme "O Grande Gatsby".

n) Os conferencistas _____ o anfiteatro, onde iria realizar-se a sessão inaugural.

o) A manifestação pacífica em frente ao Parlamento quirguiz _____ grande confusão e a polícia teve de intervir.

p) Os polícias _____ os manifestantes todos os cartazes exibidos.

q) _____ o Mar Morto pode ser benéfico para a pele e os vasos sanguíneos.

58 Complete as frases com as formas verbais e as preposições apropriadas.

| arremessar | atafulhar | canalizar | empeçar | encerrar | encerrar-se | encorajar | esbanjar |

| estremecer | falhar | granjear | oscilar | possibilitar | punir | tecer | trajar | tresandar |

a) Os dois homens (ambos já condenados) têm sido acusados de posse ilegal de armas, o que pode ser _____ uma pena até cinco anos de prisão.

b) Este milionário americano _____ quase todo o dinheiro _____ carros e casas de luxo, acabando por falir há dois meses.

c) O preocupante desaproveitamento desses lotes de terra, pertencentes à nossa empresa, acarretam desperdícios anuais que _____ 895 e 967 mil euros.

d) As notícias que chegam do Médio Oriente fazem-nos _____ medo e sentimo-nos inseguros.

e) Ainda estamos em março, mas as bétulas e os ulmeiros já _____ verde.

f) Nessa aldeia moçambicana, os artesãos locais _____ uma fábrica sem quaisquer condições de segurança.

g) Certos bairros desta cidade malgaxe _____ lixo e urina, o que deveria torná-los inabitáveis.

h) Segundo os sociólogos, as eleições autárquicas de 2013 devem _____ os mais jovens _____ serem politicamente mais ativos.

i) Enfurecida, revirou uma mesa de pernas para o ar, pontapeou potes com flores e quebrou as cadeiras, _____-as _____ a parede.

j) O grupo hoteleiro espanhol Turex _____ fundos _____ um programa de adesão e fidelização de clientes.

k) Ele andava pela rua _____ a cada momento _____ as pedras da calçada.

l) O Abel _____ o gabinete, para se preparar para a reunião geral de diretores.

m) Os camponeses _____ os latifundiários alguns pedaços de terra.

n) Na minha opinião, o governo etíope _____ muitas medidas que tem tomado.

o) Os líderes das potências mundiais reiteraram o seu apelo a um cessar-fogo urgente ou, pelo menos, a suspensão temporária das hostilidades, para _____ a ajuda humanitária _____ o povo sírio.

p) Os piratas _____ o porão e puseram-nas a pão e água.

q) O Francisco _____ a garagem _____ sucata, de tal modo que ninguém consegue lá entrar.

59 **Complete as frases com as formas verbais e as preposições apropriadas.**

| antepor | berrar | esbarrar | esmerar-se | especializar-se | esvoaçar | extorquir |
| incorrer | nascer | resmungar | solicitar | sussurrar | vibrar |

a) Portugal _____ a troika uma alteração dos valores impostos.

b) Ao saber que tinha ganho o Prémio Camões 2015 Hélia Correia _____ emoção.

c) Havia um projeto interessante para a temporada de ópera do Teatro Nacional de São Carlos, mas o diretor _____ os cortes drásticos impostos pelo governo e tudo ficou por fazer.

d) O conselheiro começou a _____ algo _____ o ouvido do príncipe, que baloiçava a cabeça, torcendo os lábios.

e) Os condutores que conduzam alcoolizados _____ sanções elevadíssimas.

f) Cansado, depois de tantas horas a conduzir, de repente, _____ uma árvore e teve um grave acidente.

g) _____ alegria com as tuas palavras elogiosas à minha pessoa.

h) A minha mãe _____ o arranjo do jardim que causava o deleite daqueles que o visitavam.

i) O neurocientista português António Damásio _____ o estudo da emoção.

j) _____ a intransigência e falta de visão do meu diretor e nunca pude pôr em prática os meus projetos.

k) O pai teve de _____ o Aníbal para que ele ouvisse bem todas as advertências que ele tinha para lhe fazer.

l) Os ladrões conseguiram _____ a senhora idosa uma avultada quantia de dinheiro.

m) Chegada a primavera, as andorinhas veem-se em bandos, _____ os beirais das casas, procurando os ninhos deixados no ano anterior.

n) Há pessoas que _____ serem artistas; é algo inato ou um dom de Deus.

o) Os refugiados, famintos e sequiosos, _____ clemência da parte das autoridades.

p) A minha avó materna _____ sempre _____ o meu avô, mas, no fundo, eram amicíssimos.

q) Na língua portuguesa, depois do advérbio "também" devemos _____ o pronome _____ o verbo.

60 Complete as frases com as formas verbais e as preposições apropriadas.

| admoestar | aferir | alicerçar-se | atolar | bulir | chuchar | doutorar-se | empanturrar-se |
| empolgar-se | enroscar-se | fervilhar | inspirar-se | soprar | terçar | topar | vadiar |

a) O menino corria velozmente pela rua e, sem poder evitar, _____ uma pedra e caiu.

b) Não tenho nenhum desejo de _____ os assuntos da Isabel. Já tive desgostos com ela.

c) Em 2005, a Catarina _____ Psiquiatria; agora pode usar o título de Professora Doutora.

d) O pai, preocupado, _____ o Pedro _____ os perigos do consumo excessivo do álcool.

e) Quando o Manuel viu a Teresa, ficou fascinado, _____ todo _____ ela.

f) Os apoiantes do Benfica _____ os do Sporting quando este perdeu em casa. De facto, foi uma humilhação para o clube, perder por 5-0 no próprio estádio.

g) Podemos _____ a atualidade deste fenómeno _____ a discussão vivaz que se observa na imprensa ocidental.

h) O marechal _____ qualquer coisa _____ o ouvido do seu subordinado, mas ninguém conseguiu entender.

i) O Luís já tem quinze anos e ainda _____ o dedo; é um hábito que vem desde que ele era bebé.

j) Os dois jovens desempregados, sem esperança, _____ as ruas, sem rumo.

k) O gato da Joana e da Rita _____ o seio das duas irmãs, que estavam sentadas no sofá, e ninguém o conseguia tirar de lá.

l) A poetisa portuguesa Sophia de Mello Breyner Andresen _____ frequentemente _____ o mar para criar os seus poemas.

m) Quase podemos afirmar que Portugal _____ armas _____ a sua seleção no Campeonato Europeu de Futebol.

n) Na entrevista dada à televisão holandesa, o Ministro indonésio do Comércio Exterior _____ ira _____ as críticas que todos lhe faziam.

o) Na festa de fim de curso, a Alzira _____ comida, a tal ponto que tiveram de lhe dar um comprimido para a digestão.

p) A jovem motorista, inexperiente e descontrolada, _____ o carro _____ um lamaçal e depois teve dificuldade em tirá-lo de lá.

q) A ONU não conseguirá apurar o recurso a armas químicas na Síria e a comunidade internacional não deve intervir na situação no Egito: tais são as conclusões que _____ a sondagem no sítio da *Euronews*.

61 **Complete as frases com as formas verbais e as preposições apropriadas.**

| ansiar | atuar | barafustar | candidatar-se | comprovar-se | contentar-se | estagiar | estalar |
| financiar | florescer | fornecer-se | imprimir | iniciar | martirizar | rivalizar | solidarizar-se |

a) A Cristina obteve a sua pós-graduação em Enfermagem Obstétrica e Ginecológica em 1999, _____ a Maternidade de Júlio Dinis, no Porto.

b) No âmbito das altas tecnologias, a única empresa que poderá _____ a Apple é a Samsung, mas este confronto não será fácil para esta última.

c) O Gilberto _____ a conversa _____ uma intenção pacífica, mas a posição rígida da sua mulher invalidou toda a esperança de reconciliação.

d) Dentro da fortaleza, no museu da Idade Média, vimos os instrumentos de tortura (triturador de cabeça, corta-joelhos), _____ os quais os carrascos da Inquisição _____ as suas vítimas.

e) "Como faço para _____ o ensino superior público?" é a pergunta mais frequente dos atuais estudantes.

f) O meu avô _____ bricolage e mais tarde _____ o xadrez, desde muito cedo.

g) O Augusto anda sempre de sobrolho carregado porque não sabe _____ o que o destino lhe dá.

h) Este fundo privado norte-americano _____ cerca de 29 mil dólares pesquisas em vários âmbitos científicos: musicologia, estudos literários, linguística.

i) Naquela época, eu não estava tão motivado que _____ um trabalho interessante e criativo, apenas me bastava arranjar um emprego qualquer.

j) Os emigrantes _____ bens de primeira necessidade antes de partirem.

k) Na audiência com o ministro, as afirmações dos sindicalistas _____ as estatísticas que lhe exibiam.

l) O motorista _____ mais velocidade _____ o carro.

m) O aipo pode suportar geadas, mas essa planta _____ melhor _____ um clima ameno com temperaturas entre 15ºC e 21ºC.

n) Ele vangloriava-se do êxito que teria, mas _____-lhe a castanha _____ a boca.

o) Os funcionários dos Correios de Portugal _____ as últimas decisões do governo.

p) O composto obtido no laboratório _____ infalivelmente _____ os ácidos.

q) Portugal _____ as vítimas do terramoto do Haiti.

62 Complete as frases com as formas verbais e as preposições apropriadas.

aconchegar	aconchegar-se	aturdir-se	caçoar	concretizar-se	desdobrar-se
emancipar-se	expor	expor-se	focar	galardoar	pautar-se
rotular	simpatizar	transformar	transformar-se	zaragatear	

a) Durante a feira, algumas vendedoras _____ os polícias.

b) Na escola primária, os colegas puxavam-na pelas tranças e _____ a Joana por ela ter um nariz arrebitado e um rosto cheio de espinhas e bexigas.

c) Em 2013, o escritor angolano Ondjaki _____ o Prémio José Saramago pelo romance "Os Transparentes".

d) É impossível não _____ o meu amigo arménio Tigran; é engraçado e muito espirituoso.

e) Algumas lojas _____ o público produtos fora do prazo de validade, o que pode resultar em punição por lei.

f) Após a estreia do espetáculo "A Cantora Careca", de Ionesco, no teatro contemporâneo "A Tesoura", o diretor e o encenador _____ duras críticas, por a encenação ter sido demasiado insólita, fora do convencional.

g) Cada ser humano deve _____ a escravidão mental a que os cânones sociais obrigam.

h) O Orlando _____ uma pessoa com um carácter apaziguador e bondoso. A sua irascibilidade e nervosismo desapareceram com o passar dos anos.

i) As autoridades municipais decidiram _____ uma base militar abandonada há décadas _____ um museu histórico das Forças Aéreas.

j) É imaturo e precipitado _____ as pessoas que te rodeiam _____ úteis ou inúteis.

k) Se queres vencer esse problema, deves _____ melhor _____ a questão fulcral do mesmo.

l) Chefiada pelo presidente, a delegação mexicana _____ vários encontros e reuniões com os altos representantes do Canadá, Jordânia, Laos, Tajiquistão e Omã.

m) Finalmente, o meu sonho _____ a produção de um manual de língua portuguesa para estrangeiros.

n) A Joana _____ o cachorro _____ uma caminha que improvisou para ele.

o) O João _____ o colo da mãe, para se sentir mais protegido.

p) Os manifestantes _____ os gases lacrimogéneos lançados pela polícia.

q) Segundo o Ministro da Saúde português, Paulo Macedo, a política de saúde "continuará a _____ o cumprimento dos compromissos nacionais, pela promoção do acesso racional a medicamentos e pelo escrutínio permanente do cumprimento das obrigações e responsabilidades dos diferentes intervenientes".

63 **Complete as frases com as formas verbais e as preposições apropriadas.**

crivar	depositar	destoar	encalhar	horrorizar-se	hospedar-se	humedecer

incumbir	opinar	pendurar-se	queimar-se	sufocar	triunfar

a) O diretor _____ o Xico _____ realizar uma tarefa difícil de concretizar, mas ele "não deu o flanco".

b) O seu corpo, _____ balas, foi encontrado na berma da autoestrada, não longe de Portimão.

c) Uma baleia morreu, após _____ um banco de areia numa enseada perto de Brisbane, na Austrália.

d) A cor turquesa das peúgas dele _____ a cor dos sapatos e da camisola.

e) Quando vejo as notícias na TV, _____ as constantes cenas de violência exibidas.

f) Antes de iniciarmos a limpeza dos vidros, _____ os panos _____ álcool.

g) Os manifestantes em frente ao Parlamento venezuelano _____ os gases lançados pela polícia.

h) Quando estive em Fátima, _____ um pequeno hotel perto da Basílica.

i) Em "Os Miseráveis", de Victor Hugo, assiste-se a um final feliz: o bem _____ o mal.

j) Gosto de _____ questões da atualidade.

k) O Pedro _____ os colegas para o ajudarem nos exames.

l) A ópera "Aida", de Verdi, _____ todo o mundo ao longo dos anos.

m) Os pais do Roberto _____ todas as esperanças _____ o futuro dele, mas ele não correspondeu às expectativas.

n) Ontem _____ o dedo anelar, por isso hoje não posso tocar violino.

1 **Complete com os vocábulos (verbo, nome, adjetivo, pronome, preposição) apropriados.**

Portugal Continental, com a _____ (1) aproximada de um retângulo, fica _____ (2) na parte _____ (3) da Península Ibérica e no extremo do continente _____ (4).

O nome "Portugal"_____ (5) da sua segunda _____ (6) cidade, Porto, _____ (7) nome latino era *Portus Cale*.

Portugal Continental é _____ (8) por duas regiões muito diferentes _____ (9) si: em rios, em montanhas, em população, em agricultura, em clima, etc.

A _____ (10) de separação destas regiões é o rio _____ (11).

A _____ (12) do rio há muitas serras. O _____ (13) do norte é húmido e muito frio _____ (14) inverno.

Há locais onde _____ (15) nevões tão intensos que os _____ (16) registam temperaturas negativas (Serra da Estrela, Serra do Marão, etc.).

Chove muito e os _____ (17) são muito regados.

A sul do _____ (18), o terreno não é tão montanhoso, é mais _____ (19).

É famosa a beleza da planície alentejana, com as suas _____ (20) de trigo ondeando ao _____ (21).

O clima do Sul é mais _____ (22) e quente que o do Norte.

Os verões são _____ (23) e rigorosos. Por conseguinte, _____ (24) pouco e os terrenos são pouco _____ (25).

Apesar de Portugal _____ (26) um país relativamente _____ (27), pois tem uma _____ (28) aproximada de 89.000 Km^2, é muito diversificado no que diz _____ (29) a paisagem, clima, gastronomia, etc.

Vale a _____ (30) percorrer este belo país, de lés a lés!

2 **Complete com as palavras adequadas.**

A Expo'98 foi um grande _____ (1) de carácter nacional que permitiu _____ (2) e potenciar Portugal no _____ (3) a vários níveis: cultural, turístico, económico, geográfico.

Uma vez que neste evento _____ (4) países de todo o _____ (5), também foi uma _____ (6) de intercâmbio e divulgação dos mesmos.

Foram _____ (7) para a Expo'98 oito quilómetros de margem do _____ (8) que pertenciam à Administração do Porto de Lisboa.

Embora à _____ (9) tivesse sido decidido que não iria _____ (10) nada ao erário público, perante a derrapagem verificada, os cidadãos concluíram que, de alguma _____ (11), teriam de ser eles também a _____ (12) os encargos excedentários. Apesar de tudo, a circunstância não _____ (13) problemas de maior. Os lisboetas mostraram um grande _____ (14) na sua exposição e falarão sempre dela com muito _____ (15).

Aquela zona _____ (16) de Lisboa estava numa crescente _____ (17) urbanística, por isso, tal oportunidade, foi uma _____ (18) no charco em termos de reequilíbrio da cidade.

Das obras arquitetónicas mais _____ (19), destaca-se a _____ (20) do Oriente, por Santiago Calatrava, além do Pavilhão "Meo Arena", por Regino Cruz e o Pavilhão de Portugal, com a famosa "pala", por Siza Vieira. Isto para não falar da _____ (21) arquitetónica da Ponte Vasco da Gama.

Efetivamente, houve uma preocupação cultural _____ (22) ao sentido estético.

Foi um ótimo pretexto para se _____ (23) o desenvolvimento de toda aquela _____ (24), que se converterá num _____ (25) muito agradável para se viver com os "olhos" _____ (26) para o Tejo.

3 Complete com os vocábulos apropriados.

Lisboa, _____ (1) embora o facto de, nos _____ (2) anos, ter _____ (3) permanentemente em obras, continua a ser uma _____ (4) cidade.

É essa a _____ (5) geral, quando falamos _____ (6) em qualquer _____ (7) do mundo _____ (8) nos encontremos.

Existem os mais variados _____ (9) sobre esta cidade que se _____ (10) com o Tejo, numa cumplicidade inspiradora de muitos _____ (11) e outros artistas.

Mas o que é que Lisboa _____ (12) de tão especial? Tem tudo! Tantos detalhes!

Tudo depende _____ (13) ângulo de visão de _____ (14) um.

"Se fosse Deus parava o Sol sobre Lisboa", dizia Fernando Assis Pacheco num dos seus _____ (15) de deslumbramento.

Não é só a luz, tão _____ (16), são também as cores, as _____ (17) tonalidades.

Desde o ocre pombalino, ao verde do Terreiro do Paço, "até o cavalo de D. José vai ficando verde, comido de mar" – dizia Cecília Meireles –, depois o _____ (18) que lembra a cal dos muros, a espuma das ondas. É um branco _____ (19), nostálgico, que, _____ (20) vezes, nos _____ (21) a vista. Talvez por _____ (22), o cineasta Alain Tanner _____ (23) chamado a Lisboa "Cidade Branca" e a tenha honrado, _____ (24) esse título ao _____ (25) que rodou cá.

Lisboa também tem _____ (26) muitos pintores.

É a suavidade ingénua de Carlos Botelho, um entardecer soturno em João Abel Manta e o famoso _____ (27) de Maria Helena Vieira da Silva. Esta pintora evoca, num _____ (28) tão afetivo, _____ (29) muitos dos seus discursos cromáticos, a memória dos azulejos lisboetas.

Depois, há a Lisboa dos _____ (30) típicos: Alfama, Bairro Alto, Madragoa, etc. — as vielas, os becos, as travessas; o humor do lisboeta _____ (31) bairro, a linguagem, a entoação própria, são _____ (32) que só _____ (33) descobrem no fado _____ (34), mais de bairro, hoje em _____ (35) tão raro.

Depois _____ (36) Amália Rodrigues e _____ (37) Alfredo Marceneiro, talvez só em Carlos do Carmo a voz _____ (38) ter esse acento de raiz _____ (39) vem do dialogar do bairro.

Mas a verdade _____ (40) é que ninguém _____ (41) conhecer uma cidade _____ (42) lhe tentar desvendar o mistério, sem se esforçar _____ (43) conhecê-la _____ (44) dentro.

in *Lisboa Livro de Bordo*, José Cardoso Pires (adaptado)

4 **Selecione as palavras apropriadas de modo a completar o texto.**

aceitável	alarmante	analisarmos	ativa	concertação	conjuntura	contratação
défice	estabilização	fiscalizar	investidores	laboral	palavras	permanente
polémica	postura	protegido	resulte	retoma	vínculo

Quando falamos em trabalho, depois de _____ (1) os dados referentes à situação _____ (2) dos portugueses, verificamos que metade da população _____ (3) portuguesa não tem _____ (4) laboral permanente. Por outras _____ (5), perto de metade dos 4,25 milhões de pessoas que têm atualmente trabalho em Portugal, está longe de ter um emprego _____ (6), com horário rígido e socialmente _____ (7).

As relações laborais, permanente objeto de _____ (8) entre sindicatos e patrões na _____ (9) social, são mais flexíveis do que habitualmente se pensa. A Inspeção--Geral do Trabalho não tem meios para _____ (10) a situação.

É natural que este estado das condições de trabalho _____ (11) da crise de desemprego que se tem feito sentir, não só em Portugal como em todo o mundo. Espera-se que, com a _____ (12), as empresas assumam outra _____ (13) no que diz respeito à _____ (14) de pessoal. A circunstância de trabalhar a recibos verdes pode ser mais "cómoda" para o empregador, mas não o é seguramente para o empregado. Portugal parece estar no bom caminho em termos de _____ (15) da economia, oferecendo boas condições, nomeadamente aos _____ (16) estrangeiros.

Apesar de o Governo ter comunicado um _____ (17) de 4% a Bruxelas, não parece aos analistas económicos que o número seja _____ (18).

O défice apurado, comparativamente a outros países, pode considerar-se _____ (19), tendo em conta a _____ (20) económica mundial.

5 Complete com as palavras adequadas.

Ao _____ (1) a casa, estafados, depois de _____ (2) mais de uma hora numa fila de _____ (3), decidimos preparar um jantar ligeiro.

Apesar de _____ (4) cheios de fome, em vez de _____ (5) o tempo a cozinhar, aproveitámos para descansar um pouco, pelo _____ (6) até nos _____ (7) mais descontraídos.

Pusemos um CD com música _____ (8) e esticámo-nos no sofá da sala. De repente, reparei _____ (9) bilhete que estava _____ (10) uma das mesinhas, perto do telefone. Dizia o seguinte: "A mãe da senhora _____ (11) a dizer que _____ (12) com os senhores para jantar hoje à noite. No _____ (13) de não _____ (14) ir, pede que a _____ (15) o mais cedo possível..."

Era uma mensagem da empregada, escrita, certamente, _____ (16) de sair.

Ficámos hesitantes. Por um lado, não nos apetecia sair, _____ (17) outro lado, com a fome que tínhamos, sabia-nos bem _____ (18) um bom jantar _____ (19) pela minha mãe. Olhámos um _____ (20) o outro, indecisos, sem _____ (21) o que fazer. Mas logo o João adiantou: "E se _____ (22)? Além do mais, acho importante não _____ (23) contacto _____ (24) a família. É bom _____ (25) o elo, aparecendo de vez em _____ (26). O fundamental é estreitarmos os laços cada vez _____ (27); umas vezes em casa dos teus pais, _____ (28) em casa dos _____ (29)."

Eu concordei _____ (30) absoluto. Telefonei _____ (31) minha mãe e partimos _____ (32) seguida. Esperava-nos, _____ (33) certeza, um ótimo jantar. Estava mesmo _____ (34) apetecer!

6 Complete com os vocábulos apropriados ao contexto.

Quando se _____ (1) referência ao lazer, talvez _____ (2) a propósito recordar que o modo como as pessoas _____ (3) os seus tempos livres varia muitíssimo, dependendo _____ (4) tipo _____ (5) habitação _____ (6) _____ (7) vivem, do _____ (8) onde moram, dos hábitos culturais que _____ (9), da idade, sexo, condição social, etc.

Nos grandes _____ (10) urbanos torna-se _____ (11) ter muito tempo livre, visto que esse tempo é muitas vezes _____ (12) em _____ (13) de trânsito, agravados pelas horas de _____ (14).

Muita _____ (15) começa a achar que no campo, _____ (16) da grande cidade, se pode _____ (17) uma vida mais _____ (18) e mais agradável.

Em Portugal, por _____ (19), muitos casais jovens estão a tentar _____ (20) da cidade, procurando um _____ (21) mais tranquilo para _____ (22) o dia a dia, pensando _____ (23) filhos que possam _____ (24) a ter. Para as crianças, especialmente, não há _____ (25) que chegue _____ (26) contacto direto _____ (27) a natureza.

De facto, há um encanto _____ (28) nos sons da natureza, quer _____ (29) o chilrear do _____ (30), ou o _____ (31) da ovelha, ou o som da _____ (32) do regato ou o das _____ (33) das árvores agitadas _____ (34) vento.

Em suma, bela é a melodia que a natureza nos _____ (35) a cada _____ (36). Belos são também os "quadros" que se nos oferecem à vista em _____ (37) estação. Doce é o perfume que dela _____ (38).

O Homem, com a sua _____ (39) constante de transformação, muitas vezes destrói a Natureza, sem se dar _____ (40).

© Lidel – Edições Técnicas, Lda.

O ritmo _____ (41) vida cada vez mais _____ (42) desvia-nos a atenção _____ (43) tantas coisas, que nos _____ (44) do aspeto mais marcante da nossa existência: nós somos _____ (45) integrante dessa mesma natureza. Há que olhar _____ (46) ela e olhar _____ (47) ela.

7 **Complete com as palavras apropriadas.**

_____ (1) da leitura dos jornais, podemos _____ (2) que a maior parte das notícias publicadas _____ (3) sobre aspetos negativos do _____ (4) humano, nomeadamente violação da _____ (5) e uso frequente de _____ (6), sem sequer serem _____ (7) as crianças, que são os seres menos _____ (8) em todos estes processos.

Mesmo que a _____ (9) internacional _____ (10) ao bom _____ (11) entre os países, a _____ (12) desmedida de poder impede que os governantes _____ (13) às pressões de comissões _____ (14) de negociar processos de paz. Noutros casos, graças a _____ (15) conseguidos com muita perseverança e _____ (16), são _____ (17) processos de paz pouco convincentes, os quais, na _____ (18), muitas vezes não são respeitados e a tal "paz" é rapidamente perturbada. Nem mesmo as equipas de observação, os _____ (19) "Capacetes Azuis", têm capacidade de _____ (20) as situações de violência que _____ (21), provavelmente _____ (22) de grande tensão.

Por mais estudos em que os sociólogos _____ (23) no sentido de compreender as razões desta _____ (24) de autodestruição da espécie humana, por muitas análises _____ (25), nunca ninguém encontrou uma _____ (26) plausível.

É que o ser humano tem _____ (27) desconcertantes e, se se _____ (28) avaliar os comportamentos dentro de parâmetros lógicos, logo a seguir se _____ (29) que parece não haver lógica em nada, ou _____ (30), cada fenómeno tem a sua "lógica" própria, muito particular.

À primeira _____ (31), tal situação parece não fazer _____ (32).

É urgente repensar a nossa _____ (33) no mundo e redimensionar a qualidade da nossa intervenção, para que as _____ (34) vindouras não tenham de _____ (35) os erros que estamos a _____ (36).

8 **Selecione as palavras apropriadas de modo a completar o texto.**

acessível	arbítrio	ato	até	banca	beber	capacidade
conceito	contexto	controlar	correspondem	dentro	depende	desenfreada
dignidade	ênfase	especialistas	essência	exame	fantásticos	limites
medida	paz	pegando	perca	pesquisa	privacidade	processamento
resulta	salutares	sequer	si	transformando-nos	ultramoderna	

Nesta corrida _____ (1) em que temos vivido nos últimos anos, nem _____ (2) nos temos interrogado suficientemente sobre os _____ (3) da tecnologia, se é que ela tem limites...

Diz-se que, _____ (4) de pouco tempo, tudo será *online*, desde o simples _____ (5) de comprar o jornal, _____ (6) à marcação de uma consulta para um _____ (7) de rotina.

Os _____ (8) afirmam que, daqui a uns anos, haverá computadores com uma capacidade de _____ (9) mil vezes superior aos de hoje.

Mas será que todos os _____ (10) progressos da tecnologia estão a trabalhar para e por um mundo melhor?

Que _____ (11) é que o homem do futuro terá de felicidade?

É evidente que a tecnologia, em _____ (12) mesma, não é boa nem má, tudo _____ (13) do modo como é aplicada. O que nos parece é que o século XX, enquanto deu uma grande _____ (14) ao seu desenvolvimento, pouco se preocupou com a _____ (15) humana. E, embora por razões que nem sempre _____ (16) à nossa vontade, temos vindo a ser afastados das nossas origens, a abandonar hábitos, noutros tempos agradáveis e _____ (17), sendo esses sentimentos que fazem parte da _____ (18) do que realmente pode significar felicidade.

Numa sociedade em que tudo pode estar à mão, tudo é _____ (19) e facilmente manipulável. Poder-nos-á parecer o _____ (20) ideal para se viver, mas em que _____ (21) podemos considerar que, nessa sociedade, existe um sentido de liberdade?

Que dimensão tem o livre _____ (22)? E o sentido de _____ (23) e intimidade?

Uma vez que, através da tecnologia, tudo se pode _____ (24), fica o receio de que numa futura sociedade _____ (25) o ser humano deixe de ser visto como humano e a vida _____ (26) o seu sentido mais puro.

Uma _____ (27) realizada há pouco tempo no Brasil revela que aquilo que grande parte das pessoas mais associa a uma ideia de _____ (28) é simplesmente chegar a casa, brincar com os filhos, sair com os amigos, _____ (29) um copo, ouvir boa música, conversar com aqueles de quem gostam. Referem o prazer de ir à _____ (30) dos jornais, passear pelas estantes de uma boa livraria, _____ (31) nos livros e folheando-os antes de escolherem o que vão levar, ou até, apenas passear o cão.

Afinal, estar feliz _____ (32) exatamente destas pequenas felicidades simples que dão sentido e cor à vida.

Oxalá não percamos a _____ (33) de sermos simples humanos, e, em vez disso, nos alteremos, _____ (34) em máquinas do tempo!

in Revista *Super Interessante*, maio 2013 (adaptado)

9 Complete o texto com as formas verbais apropriadas.

acabar	acampam	aconteça	acreditando	atinge	combate	devermos	eliminar	encontram

esconder-se	fazer-lhes	manifestam-se	passemos	perder	proliferam	pululam

revelar-nos-ia	ser utilizada	sorrir-nos-iam	tenham desenvolvido	tenham prolongado	vivem

Embora _____ (1) horas a lavar e a esfregar, _____ (2) que está tudo razoavelmente limpo, o certo é que inúmeros vermes e bactérias _____ (3) nos cantos mais insuspeitos das nossas casas.

Reproduzem-se nas escovas de dentes, _____ (4) à larga em esponjas e esfregões, _____ (5) impunemente nos auscultadores dos telefones e, se pudessem, uns quantos milhões de micróbios _____ (6), satisfeitos, instalados nas alvas paredes da retrete.

Mas há pior. Uma vista de olhos às nossas entranhas _____ (7) que cerca de 90 milhões de bactérias (nove vezes mais do que o número total de células do corpo humano) _____ (8) no nosso organismo a verdadeira terra prometida.

Hoje, a luta contra a sujidade _____ (9) proporções delirantes.

Enquanto _____ (10), no mercado, centenas de produtos que prometem _____ (11) de uma penada o pó, o suor ou o mau hálito, a utilização indiscriminada de antibióticos levou a que os microrganismos _____ (12), nestes últimos tempos, uma férrea resistência aos medicamentos.

Embora os antibióticos _____ (13) a esperança média de vida em mais de uma década, desde que a penicilina começou a _____ (14) com êxito, em fevereiro de 1941, o certo é que começam a _____ (15) eficácia.

Os germes mais resistentes _____ (16) agora nos ambientes mais "limpos", como hospitais e centros de saúde, se bem que isso _____ (17), em grande medida, porque as defesas imunológicas dos hospedeiros se encontram muito debilitadas.

Um sistema imunológico saudável _____ (18) os micróbios sem problemas. A melhor maneira de fortalecer as defesas não é _____ (19) por detrás de muralhas de medicamentos, mas sim o contacto com o "inimigo". De facto, a higiene levada a extremos pode _____ (20) por dar origem a alergias e asma, por isso, apesar de não _____ (21) subestimar os micróbios, o melhor escudo é mesmo, _____ (22)-lhes frente.

in *Super Interessante*, junho de 2003 (adaptado)

10 Substitua a parte destacada, por um verbo, mantendo o mesmo sentido da frase.

a) Utilizava aquele creme para ficar mais jovem .

_____

b) Comia pouco para ficar mais magra .

_____

c) Tomava vitaminas para ficar mais forte .

_____

d) Andava a pé para libertar a tensão .

_____

e) Tomava duche frio para ficar mais fresca .

_____

f) Usava açúcar para pôr sabor doce no café.

_____

g) Pintava os lábios para pôr a cara mais bonita .

_____

h) Usava um produto para tornar a madeira com aspeto de velha .

_____

i) Deitou uma parede abaixo para tornar a sala maior .

_____

j) Resolveu suprimir algumas linhas para tornar o discurso mais breve .

_____

k) Discutiu-se a questão de **tornar** o aborto **livre** .

_____

l) Fazia grandes negócios para **ficar mais rico** .

_____

m) Lutaram para **adquirirem o poder sobre** as terras.

_____

n) Ligou o lume para **pôr** o leite **mais quente** .

_____

o) Cortou a saia para a **deixar mais curta** .

_____

p) Recebeu lições para **adquirir** uma pronúncia **mais perfeita** .

_____

q) Usaram todos os meios para lhe **tornarem** a vida **difícil** .

_____

r) O pobre homem **ficou mais triste** de dia para dia.

_____

s) Os amigos **tornaram-se solidários** comigo.

_____

t) Depois daquele deslize, ele **perdeu o crédito** entre os colegas.

_____

11 Complete as expressões com os vocábulos em falta.

a) Os soldados vestiam coletes à prova de _____.

b) Perante a emergência da situação, ele foi operado a sangue-_____, mas não deu um "ai".

c) O doce foi cozinhado em banho-_____.

d) Soubemos da agradável notícia em primeira _____.

e) Tive de ir à polícia prestar _____ como testemunha do acidente.

f) Ela é a cara do pai, sem tirar nem _____.

g) Somos amigas inseparáveis; de facto, somos unha com _____.

h) Entreguei-me ao trabalho de corpo e _____.

i) Desde que recebeu a herança, o Mário vive à grande e à _____.

j) Não compreendo nada do que dizes; tudo isso, para mim, é _____.

k) Perante as provas, os agentes da PJ puseram-no entre a espada e a _____.

l) O arguido não se descontrolou; manteve-se _____ e sereno.

m) Os agressores atuaram brutalmente, sem dó nem _____.

n) Tenho tido insónias. A noite passada, não _____ olho.

o) A atual Provedora da Casa Pia é muito frontal, não tem _____ na língua.

p) Por vezes é salutar fazermos tábua _____ das nossas imperfeições e começarmos um novo percurso.

q) Alguns "senhores importantes" têm tido as costas _____ ao longo de muitos anos, impunemente.

r) Estou com muitas dúvidas em relação ao que me contaram; tenho de tirar a _____ toda a história.

s) Resolvi dar o _____ da dúvida, só por _____ de consciência, pois pressinto que não são só boatos.

t) A editora Caminho acaba de dar à _____ mais uma obra de José Saramago, intitulada" O Homem Duplicado".

12 **Faça as transformações de acordo com o exemplo.**

Exemplo: O que está simples pode-se complicar.

O que está:	Pode-se:
a) estreito	_____
b) avariado	_____
c) rombo	_____
d) torto	_____
e) amargo	_____
f) velho	_____
g) áspero	_____
h) feio	_____
i) escuro	_____
j) pobre	_____
k) denso	_____
l) errado	_____
m) comprido	_____
n) duro	_____
o) lento	_____
p) imperfeito	_____
q) cheio	_____
r) pesado	_____
s) enrugado	_____
t) pequeno	_____

13 Complete as frases com os verbos apropriados.

a) Não vale a pena nós _____ conjeturas sobre os resultados; logo se verá.

b) Eu _____ ao vosso bom senso para acabarem com a greve.

c) Eu _____ a liberdade de dar o seu número de telefone ao meu amigo.

d) Todos devem _____ a responsabilidade dos seus atos.

e) O preço era em conta; não podíamos _____ aquela oportunidade.

f) Nem sempre é fácil _____ a decisão certa.

g) Ao ver a multidão aproximar-se, ele _____ em pânico.

h) Entre as possibilidades que se lhe apresentavam, podia _____ duas opções.

i) Chegados ao fim do curso, é bom que nós _____ o balanço da situação.

j) O jornalista _____ o ministro em xeque.

k) As tuas ameaças não me _____ medo.

l) Dirigimo-nos à família enlutada para _____ condolências.

m) Os padres não devem _____ o sigilo da confissão.

n) O professor _____ um desafio aos estudantes.

o) Todos _____ a ideia entusiasticamente.

p) Os compromissos foram _____.

q) Ninguém deve _____ às suas responsabilidades.

r) O desemprego _____ um nível preocupante no ano passado.

s) O casal desavindo _____ relações ao fim de dois anos.

t) A Joana _____ de enxaquecas desde os vinte anos.

u) Escreveu aquelas palavras elogiosas para _____ homenagem ao professor que ele tanto admirava.

v) Em democracia, é preciso _____ a correlação de forças.

w) Há situações em que não se pode pactuar com Deus e com o Diabo: é preciso _____ uma posição clara.

x) Só com o esforço de todos os trabalhadores foi possível _____ a crise da empresa.

y) O aspeto desleixado daquele professor não se _____ com a grande preocupação de perfecionismo em tudo o que faz.

14 Complete as frases com o verbo apropriado no tempo correto.

a) Sempre que recebemos uma carta, é aconselhável que _____ a receção da mesma.

b) Durante o curso de verão de 1998, eu _____ conhecimento com muitos estudantes estrangeiros.

c) O conserto do relógio _____ em mil euros, mas valeu a pena.

d) Ontem, o pianista Pedro Burmester _____ um concerto a favor das vítimas da SIDA.

e) A tradução dessa frase talvez _____ sentido se alterares a ordem do advérbio.

f) Há dois meses, a firma _____-lhe um processo por perdas e danos.

g) O pai do Pedro _____-lhe finalmente o castigo, após dois dias sem poder ver televisão.

h) Os condutores devem _____ o selo no canto superior direito das viaturas.

i) A professora _____ o seu contentamento pelos bons resultados dos alunos.

j) O grupo _____-se a caminho ao _____ da aurora.

k) Como ele estava muito debilitado, foi forçado a _____ o jejum.

l) A chegada daquele barco, juntamente com outros, não _____ quaisquer suspeitas às autoridades.

m) O enviado da ONU _____ considerações acerca da proliferação de mercenários.

n) Naquele dia, os estudantes _____ o ensejo para _____ os seus pontos de vista.

o) Todos os anos, o Presidente da República _____ cumprimentos aos embaixadores acreditados em Portugal, numa cerimónia _____ no Palácio de Belém.

p) Ontem, o João soube que a quinta lhe _____ por herança.

q) Conseguimos, em pouco tempo, _____ cobro à onda de assaltos que se verificava diariamente.

r) O primeiro capítulo _____ respeito às formas de tratamento em português.

s) Quando viu que lhe passaram à frente na fila para o autocarro, a mulher _____ um chinfrim dos diabos.

t) O meu amigo anda a _____ a asa à colega sueca.

15 As frases seguintes estão incorretas. Corrija-as.

a) Pessoa alguma não seria capaz de um ato tão violento.

_____

b) Já não era cedo, mas não tinha alguma pressa em chegar a casa.

_____

c) Diz-se escritor, mas escreveu, que eu saiba, livro algum.

d) Cada deve esforçar-se por proceder corretamente.

e) Ele vinha ver-me cada os três dias.

f) Você tem cada de uma!

g) Quando éramos crianças, gostávamos de andar à chuva e apanhávamos cada constipações!

h) Estas gravuras cada custam cem euros.

i) Ela tinha certa uma mágoa pelo modo como a tratavam.

j) Não sei a certa idade que ele tem.

k) O amigo de certo nem sempre se encontra.

l) Estou em certo do que digo.

m) Ele e ela ajudam-se um à outra.

n) Em outro dia encontrei o nosso professor de História.

o) Chegaram no domingo já tarde, e outro dia tiveram de iniciar o curso logo de manhã.

p) Tenho muitos amigos. Este verão, alguns desses meus muitos amigos vêm visitar-me.

q) Vi aqui umas tuas canetas e guardei-as na gaveta.

r) Uns dos meus antigos alunos continuam a contactar-me por *e-mail*.

s) Ambas situações me agradam; não sei o que decidir.

t) Conheço ninguém que não tenha medo de tubarões.

16 **O texto está incorreto. Corrija-o.**

O Leon é algeriano. Ele vive no Portugal desde seis meses. Ele é muito contento.

Ele não pode falar outras línguas que somente a sua, mas decidiu de estudar o português.

Cada manhã, ele vem à faculdade com o metro. A gente tentam de ajudar ele. Se ele podia, ele viesse com o táxi; chegava mais rápido.

Em o outro dia, o Leon perguntou o professor se pudesse chegar quinze minutos mais tardio. Então, o professor autorizou-o a que chegaria depois que a aula começava.

A cidade do Leon é mais grande que Lisboa, mas ele pensa que o tráfico na sua cidade não é tanto caótico que na Lisboa.

Caso ele poder, ele vai intentar de mover a um apartamento mais cerca da faculdade.

Mais tardio, ele pensa de comprar uma casa e talvez poda fixar-se em nosso país, se tenha sorte de achar um bom trabalho.

O Leon acha que o Portugal seja o país ideal por viver-se.

_____

_____

_____

_____

_____

_____

_____

_____

_____

_____

17 **Complete o texto com os tempos verbais corretos.**

Perante a imprevisibilidade do estado do tempo, os mais antigos (crer) _____ que o clima mudou definitivamente, mas alguns meteorologistas (vir) _____ logo desmentir tal facto. Talvez eles, meteorologistas, (ser) _____ menos céticos e (crer) _____ apenas que tudo (provir) _____ de uma alteração temporária

© Lidel – Edições Técnicas, Lda.

provocada pelas correntes marítimas. É provável que tal afirmação (caber) _____

no grupo dos lugares-comuns ou (ficar-se) _____ por uma forma simplista de

tranquilizar os mais ansiosos.

Para que não se (perder) _____ a confiança nos profissionais da meteorologia,

os responsáveis por este sector (propor-se) _____ a organizar sessões de

esclarecimento. A convicção é a de que informações precisas (instruir) _____ as

pessoas que, muitas vezes, (construir) _____ ideias falsas e precipitadas sobre

fenómenos que (desconhecer) _____.

Muitas vezes, a ignorância (acarretar) _____, isto é, (trazer) _____

consigo, um tipo de comportamento que (obstruir) _____ o progresso e, na maior

parte dos casos, em vez de aceitar, (destruir) _____ tudo o que eventualmente

(surgir) _____ de novo. É preciso muita paciência e boa vontade para que se

(poder) _____ convencer as pessoas a não julgarem o que (ver) _____

pelas aparências. Ideias primárias (agredir) _____ a mente daqueles que

(esforçar-se) _____ para que o mundo (evoluir) _____.

Quando não há conhecimento, perante uma emergência, não é, certamente, a ignorância

que nos (acudir) _____.

Embora (haver) _____ quem (manter-se) _____ intransigente quanto

à explicação de certos fenómenos por meios científicos, esperamos que, no futuro, as

sociedades (convergir) _____ no sentido do progresso e que todos os homens

(despir-se) _____ de preconceitos. É desejável que (seguir) _____ um

caminho comum, em prol do desenvolvimento, mas sem exageros. Se nós não (cuidar)

_____ esse aspeto, (correr) _____ o risco de que a sociedade

(desumanizar-se) _____ e (ficar) _____ completamente subjugados à

tecnologia.

18 Complete o texto com os tempos verbais corretos.

O António deseja que o tempo (passar) _____ depressa.

Talvez (ser) _____ por causa das dificuldades que está a ter. Há dias, sentia-se

tão angustiado que teve de consultar um médico, mas não serviu de nada; mantém-se a

mesma sensação de aperto na garganta. Todos os dias ele pensa: "Quero voltar a encarar

a vida com o mesmo otimismo que sempre tive, mas está tudo tão difícil — sinto que estou em apuros... Receio que este sentimento de pessimismo (apoderar-se) _____ de mim sem que eu (poder) _____ defender-me. É nestas alturas que os amigos são decisivos... Pode ser que eu (conseguir) _____ superar as dificuldades com a ajuda de um bom amigo (vamos ver agora quem são os amigos autênticos, os solidários...). É incrível como o tempo parece não passar quando os ventos não sopram a favor. É preciso que eu (concentrar-se) _____ e (tentar) _____ sair desta crise. Sei que é difícil arranjar emprego, mas não posso desistir de lutar. Afinal, como diz o ditado, desistir é morrer. Hei de conseguir qualquer coisa – é importante que eu (insistir) _____ . Duvido que (chegar) _____ o fim do mês e eu (ter) _____ a situação resolvida, mas vale a pena lutar e é esta ideia positiva que tenho de impor a mim próprio. Amanhã é sábado, deve haver mais anúncios no jornal, espero que a sorte (estar) _____ finalmente comigo...”

19 **Complete as frases com tempos compostos.**

a) Não encontro as minhas luvas. Talvez (esquecer-se/eu) _____ delas em casa do meu amigo.

b) Logo que você (fazer) _____ o teste, pode sair.

c) Não vais poder viajar para esse país, se não (tratar) _____ das devidas autorizações a tempo e horas.

d) Para a autoestima do João, foi muito bom que ele (aceitar) _____ o convite para trabalhar naquela empresa.

e) Suspeita-se que o homem (matar) _____ a mulher por motivos passionais.

f) Fiquei satisfeita por a carta dirigida ao Presidente da República (entregar/lhe) _____ em mão.

g) Assim que tu (escrever) _____ a carta, dá-ma, que eu ponho-a no correio.

h) Se o compositor não (morrer) _____ tão cedo, hoje seria certamente uma figura de proa no panorama musical português.

i) Esperamos que, a estas horas, eles já (chegar) _____ ao seu destino.

j) Lamento muito que tu não (conseguir) _____ arranjar bilhetes para o concerto; eu consegui, mas com muita dificuldade.

k) Foi bom que a nova ponte (construir) _____ por uma empresa cheia de gente jovem.

l) Embora (chover) _____ muito durante o inverno, continuamos com problemas de falta de água nas plantações.

m) Depois de (gastar/ele) _____ todo o dinheiro que tinha, regressou a casa do pai pedindo-lhe perdão.

n) Onde é que eu (pôr) _____ as minhas chaves? Não consigo encontrá-las.

o) Ficou à espera até que ela (decidir) _____ aceitar a sua proposta.

p) Ainda que o João (sofrer) _____ um enorme traumatismo, já está praticamente recuperado.

q) Se os pais (intervir) _____ na devida altura, as coisas nunca teriam chegado àquele estado.

r) Ficaram à espera à porta, em vez de (pedir) _____ para entrar.

s) Alguns meses depois de (reformar-se) _____, a Marta começou a frequentar um curso de pintura.

t) Alguém os informou que o acidente se deu por a funcionária não (desligar) _____ o circuito elétrico.

20 Complete as frases com tempos compostos.

a) É possível que ele (fazer) _____ o trabalho com ajuda de alguém.

b) Duvido que eles (conseguir) _____ entrar no espetáculo sem exibirem bilhete.

c) Embora o atleta (esforçar-se) _____, não conseguiu ficar nos primeiros lugares.

d) Mal tu (naturalizar-se) _____ portuguesa, vou inscrever-te no meu clube.

e) Logo que vocês (inscrever-se) _____ no curso, poderão começar a frequentar as aulas.

f) Ainda que nós (entregar) _____ as candidaturas atempadamente, não pudemos ser selecionados.

g) Quando o senhor (imprimir) _____ o texto, pode desligar o computador.

h) Os estudantes só puderam sair depois de (terminar) _____ o trabalho.

i) Onde é que eu (pôr) _____ os meus óculos? Não os encontro na carteira.

j) Talvez tu (deixar) _____ os óculos em casa.

k) Disseram, nas notícias desta manhã, que alguns países já (utilizar) _____ gases tóxicos com fins destrutivos.

l) Suspeito que as notícias (ser) _____ difundidas por uma emissora clandestina.

m) Se não fosse a intervenção rápida dos bombeiros, o incêndio (propagar-se) _____ a todo o edifício.

n) Caso o senhor (pagar) _____ a conta com cartão de crédito, poderia ter ficado sujeito a futuras utilizações fraudulentas do mesmo.

o) Quem (intervir) _____ na discussão? Não consegui identificar a voz.

p) Quem (abrir) _____ a minha correspondência, para que o envelope aparecesse naquele estado?

q) Se ele (vir) _____ mais cedo, teria podido jantar connosco.

r) Antes que ele (poder) _____ fugir, a polícia apreendeu-lhe os documentos.

s) Esperei por ela, até que (concluir) _____ o trabalho que tinha em mãos.

t) Depois de eles (matar) _____ todas as ovelhas doentes, decidiram pedir uma indemnização ao Estado.

21 **Complete as frases com as formas verbais corretas.**

Se nós (querer) _____ conhecer Portugal em pormenor, contanto que (poder/nós) _____ dispor do tempo à vontade, vamos certamente descobrir um país rico em beleza natural e associações históricas.

Caso (preferir/nós) _____ a paisagem acidentada, podemos optar pelo Norte.

É sempre agradável poder dar passeios a pé pelos montes, a não ser que (estar) _____ a chover.

Se (fazer) _____ muito frio, podemos sempre agasalhar-nos, de modo a ficarmos bem protegidos, podendo caminhar mesmo com temperaturas baixas.

Contudo, em Portugal nunca há temperaturas exageradamente baixas, a menos que as diferenças de pressão (provocar) _____ situações irregulares.

De qualquer modo, se nós (saber) _____ quais são as previsões meteorológicas, podemos ir preparados para o que der e vier.

No ano passado, procurei uma boa agência para marcar uma viagem pelo Norte de Portugal. Perguntaram-me se eu tinha alguma preferência especial. Disse à funcionária que me atendeu que tudo estaria bem desde que ela (organizar/a mim) _____ uma viagem de qualidade. Eu não ia discutir preços, se ela (garantir/a mim) _____ um bom serviço.

Pessoalmente, acho que, se se (fazer) _____ bem as contas, o preço mais elevado que às vezes se paga é compensado pelo conforto e boa qualidade a menos que (ter//nós) _____ um preço elevado e uma qualidade baixa... No entanto, caso nós (ter) _____ o azar de sermos mal servidos, podemos sempre recorrer à DECO, ou qualquer outra instituição de defesa do consumidor. Se a pessoa (pôr-se) _____ em contacto com duas ou três agências recomendáveis, ou se (obter) _____

algumas informações credíveis junto de amigos, certamente não terá problemas.

No meu caso tudo correu sobre rodas. A agência foi impecável. Caso (vir/eu) _____

a fazer outra viagem, não hesito em procurá-la. Se eu (poder) _____ e (ter)

_____ dinheiro suficiente, vou conhecer bem o Minho no verão. Penso ir lá este

ano, desde que não (surgir) _____ nenhum imprevisto.

É nessa altura que fazem as festas tradicionais, normalmente em honra do santo padroeiro, e

não quero deixar de ver como são as famosas festas da Senhora da Agonia, em Viana do Castelo.

22 Complete as frases condicionais com a forma verbal correta.

a) Se nós (manter-se) _____ ativos, conseguiremos ter uma vida com mais
qualidade.

b) Caso nós (poder) _____, devemos fazer exercício físico regularmente.

c) No caso de nós não (poder) _____ sair, podemos tentar fazer os exercícios em
casa.

d) Se o Dr. Pinto (fazer) _____ qualquer desporto, provavelmente a sua vida não
teria tido o desfecho que teve...

e) Os médicos recomendam uma vida calma, a menos que a pessoa não (poder)
_____ abstrair-se das suas responsabilidades profissionais.

f) É sempre possível conciliar situações, desde que nós (predispor-se) _____ a
tentá-lo.

g) Com alguma disciplina e orientação, o tempo chega para tudo, a não ser que nós não
(saber) _____ geri-lo devidamente.

h) Algumas empresas criaram centros de lazer para os empregados, caso (haver)
_____ necessidade de libertar os funcionários do *stress* diário.

i) Se os psicólogos (intervir) _____ mais ativamente nas questões laborais, os
empregadores vão certamente atender aos aspetos humanos de outra forma.

j) No caso de as empresas não (dispor-se) _____ a atender aos aspetos humanos
e sociais, vamos ter um tecido social em grande crise, a médio prazo.

k) Há que ter em conta que o ser humano só produz eficientemente, desde que (dar/a ele)
_____ condições apropriadas.

l) As pessoas que são tratadas como objetos, mais tarde ou mais cedo, deixam de dar
rendimento, a não ser que os empregadores (descobrir) _____ atempadamente
que estão errados.

m) É sempre possível corrigirmos erros, desde que não os (repetir) _____ mais tarde.

n) Se os governos (preocupar-se) _____ mais com os aspetos humanos, certos países deixariam de ser considerados países do "terceiro mundo".

o) Caso os políticos (ver) _____ possibilidades de intercâmbio cultural, iremos empenhar-nos em tudo o que nos for possível.

p) Se as circunstâncias (permitir) _____, eles teriam agido de outra forma.

q) Deixo-te algumas indicações importantes, no caso de tu (querer) _____ contactar-me.

r) Estaremos alerta, caso os conflitos (repetir-se) _____.

s) A situação pode agravar-se, se eles não (precaver-se) _____.

t) Se eu (pôr) _____ fim aos maus hábitos, terei uma vida mais equilibrada.

23 Complete as frases com a forma verbal correta.

a) Logo que eu (chegar) _____ a Lisboa, fiquei fascinado com a luz da cidade.

b) Logo que tu (vir) _____ de férias, não te esqueças de entrar em contacto comigo.

c) Ao (partir/nós) _____ para férias, verificámos que tínhamos muita bagagem.

d) Quando ele (pôr) _____ a carta no correio viu que se tinha esquecido do selo.

e) Assim que vocês (ver) _____ o quarto vão gostar dele com toda a certeza.

f) Quando a Ana (querer) _____ bilhetes para o Centro Cultural de Belém, costuma telefonar para o serviço de reservas.

g) O Pedro vai continuar a viver em casa dos pais enquanto (estar) _____ a tirar o curso.

h) Quando você (poder) _____, traga-me as informações que lhe pedi.

i) Sempre que eu (sentir-se) _____ mal disposta, tomo uma água das pedras.

j) Logo que o João (inteirar-se) _____ dos factos, tomou imediatamente medidas.

k) Assim que ele (fazer) _____ o exame, vai viajar pela Europa.

l) Quando a peça (ser) _____ estreada, eu não vou faltar à primeira representação.

m) Vou já comprar bilhetes para o teatro antes que (esgotar-se) _____.

n) Depois de (concluir) _____ os trabalhos, os estudantes saíram da sala.

o) A Rita tem-se equilibrado imenso desde que (seguir) _____ os conselhos do psicólogo.

p) Pago-te o que te devo logo que tu (dar/a mim) _____ os livros que te emprestei.

q) Quando você (requerer) _____ revisão da prova mencionou as razões por que o fazia?

r) Quando tu (assumir-se) _____ como verdadeiramente és, todos irão respeitar-te.

s) As pessoas começaram a abandonar a sala assim que ele (intervir) _____ no debate.

t) Enquanto (manter-se) _____ as mesmas pessoas no poder, a situação não vai melhorar.

24 Complete as frases com a forma verbal correta.

a) Embora o tempo (estar) _____ mau, nós vamos à praia.

b) Ainda que ele (repetir/a mim) _____ sempre o mesmo, eu não acredito em nada.

c) Mesmo que tu (pôr-se) _____ a defendê-lo, não vais conseguir alterar a situação.

d) Todos continuaram a caminhar, se bem que (fazer) _____ muito calor.

e) Mesmo que ele (referir-se) _____ a mim desagradavelmente, eu não me importo.

f) Apesar de nós já (ter) _____ colaborado, com ele eu não o considero muito inteligente.

g) Necessitamos de mais tempo, embora (desejar/nós) _____ terminar o trabalho o mais depressa possível.

h) Mesmo (ser) _____ bem pago, esse projeto não me interessa.

i) Ainda que eu (repetir) _____ a frase, não consigo memorizá-la.

j) Embora (haver) _____ muita gente desempregada, mesmo assim, a situação está melhor.

k) Apesar de tu (decidir-se) _____ pelo quadro mais caro, eu acho que não é o mais bonito.

l) Ainda há racismo em Portugal, se bem que os políticos (dizer) _____ que não.

m) Mesmo que nós (querer) _____ mascarar a realidade, ela está bem patente.

n) Mesmo (sentir-se) _____ doente, a cantora não deixou de atuar naquele espetáculo.

o) Teve uma boa atuação, embora a voz não (projetar-se) _____ com a mesma pureza.

p) Por vezes, não existe solidariedade embora se (apelar) _____ muito aos valores morais.

q) Embora você nunca (transigir) _____, às vezes, é preciso ter flexibilidade.

r) Ficou exausto, ainda que (dar) _____ tudo por tudo para ganhar a prova.

s) Mesmo que os pais (advertir/o) _____ para os perigos da droga, ele não ligava ao que diziam.

t) Ainda que os médicos (impor/a ele) _____ certas regras, ele não as cumpria.

25 **Reformule as frases usando as palavras entre parênteses, sem lhes alterar o sentido.**

a) Sinto-me cansada. Mesmo assim quero continuar a trabalhar. (Embora)

_____

_____

b) Já nos vimos antes, mas não me lembro da sua cara. (Apesar de)

_____

_____

c) Já se faz tarde. No entanto, vou ficar mais um bocadinho. (Ainda que)

_____

_____

d) Sei que não vou ganhar, mas mesmo assim vou concorrer. (Mesmo)

_____

_____

e) Apesar do esforço, ele não consegue falar português. (Mesmo que)

_____

_____

f) Apressámo-nos, mas já não conseguimos apanhar o comboio. (Embora)

_____

_____

g) Ela quer resolver a situação. No entanto, não encontra forças para o fazer. (Embora)

_____

_____

h) Decidiram pôr-se a caminho, apesar do estado do tempo. (Mesmo)

_____

_____

i) Não posso concordar contigo, apesar de tentares convencer-me. (Mesmo que)

_____

_____

j) Os bombeiros vieram depressa, mas já não puderam evitar a propagação do incêndio. (Ainda que)

_____

_____

k) Ela vai ter muitas dificuldades, apesar de saber muito de gramática. (Mesmo que)

_____

_____

l) Ele tinha consultado o livro há pouco tempo, mas já não se lembrava das preposições. (Mesmo)

_____

_____

m) Não vou denunciar ninguém, nem à força. (Nem que)

_____

_____

n) Corrigiu-lhe o trabalho, mas fê-lo contrariada. (Conquanto)

_____

_____

o) Ele ainda conseguiu falar, com uma intervenção de apenas cinco minutos. (Se bem que)

_____

_____

p) Apesar da contenção, ela ainda soltou alguns ataques às colegas. (Por mais que)

_____

_____

q) Atrasámo-nos, mas vamos aguardar o teu telefonema. (Embora)

_____

_____

r) Intervinha o mínimo de vezes possível, mas mesmo assim punham-lhe sempre objeções. (Por pouco que)

_____

_____

s) Apesar de lhe convir jantar em casa, ela aceitou o convite para sair. (Se bem que)

_____

t) Ele mostrava-se preocupado com o meu estado de saúde, mas não fazia nada para me ajudar. (Ainda que)

_____

26 Complete as frases com as formas verbais corretas, seguindo o exemplo.

Exemplo: Cante (ele) como cantar, ninguém o aprecia.

a) Faça o que _____, sou sempre criticada.

b) Haja o que _____, ficarei a teu lado para apoiar-te.

c) Traga o que _____, do estrangeiro, diz sempre que foi caríssimo.

d) Vejam o filme que _____, acham sempre que foi uma perda de tempo.

e) Venhas de onde _____, apareces sempre com um aspeto cansado.

f) Ponhamos o dinheiro onde _____, será sempre um risco, em virtude da instabilidade financeira em que o país se encontra.

g) Vá para onde _____, leva sempre um arsenal de medicamentos na mala.

h) Escreva a quem _____, digo sempre que aguardo uma resposta.

i) Digas o que _____, ninguém vai dar-te ouvidos.

j) Saiba o segredo que _____, nunca o revelo a ninguém.

k) Odeies quem _____, a mim não me afetas, sou indiferente às tuas frustrações.

l) Estejam onde _____, nunca se sentem bem, querem logo ir para outro sítio.

m) Sinta o que _____, não vou prescrever-lhe mais sedativos.

n) Proponha o que _____, a oposição nunca aceitará qualquer proposta vinda do governo.

o) Mantenham a posição que _____, nada ajudará a solucionar a crise em que nos encontramos.

p) Coma como _____, a mãe está sempre a chamar-lhe a atenção para as boas maneiras à mesa.

q) Fique onde _____, leva sempre a almofada de dormir com ele, pois não consegue dormir sem ela.

r) Prenda quem _____, nunca os verdadeiros culpados serão descobertos e punidos.

s) Marque o número que _____, dá-me sempre sinal de impedido; devo ter o meu telefone avariado.

t) Saiam com quem _____, os pais ficam sempre preocupados; nunca se sabe o que pode acontecer.

27 Complete as frases com a forma verbal correta.

a) Esperamos que a chuva (passar) _____.

b) Gostava de (conseguir/eu) _____ arranjar um bom emprego.

c) Queres (ficar/tu) _____ sozinha por uns momentos?

d) Desejo que (fazer/ele) _____ uma boa viagem.

e) Prefiro que (pôr/tu) _____ o anúncio amanhã.

f) Esperamos que (regressar/elas) _____ brevemente.

g) Desejo que (dizer/tu)(a mim) _____ o que achas do projeto.

h) Quero que (manter/vocês) _____ a calma.

i) Prefiro (estar/eu) _____ perante o dilema a tomar uma decisão.

j) Gostávamos que (poder/todos) _____ viver melhor.

k) Queria que (ficar/vocês) _____ cá por mais tempo.

l) Pretendia (partir/ela) _____ no fim do mês.

m) Espero que (vir/tu) _____ mais cedo esta noite.

n) Desejo que (chegar/ela) _____ a horas.

o) Quero que (dar/elas) _____ seguimento ao projeto.

p) Gostava que (descobrir/vocês) _____ a beleza de Portugal.

q) Pretendo (insistir/eu) _____ no mesmo tema.

r) Quero que (medir/tu) _____ as palavras quando falas com a tua mãe.

s) Prefere que (ler/nós) _____ em voz alta ou em silêncio?

t) Espero (atingir/eu) _____ os meus objetivos.

28 Complete as frases com os verbos no a) Futuro do Conjuntivo, b) Presente do Conjuntivo, c) Futuro ou Presente do Conjuntivo, d) Imperfeito do Conjuntivo.

a) Caso tu (poder) _____ , telefona logo que (chegar) _____ .

b) Quando vocês (ir) _____ ao Sul, (percorrer/vocês) _____ a costa vicentina.

c) A polícia evitou que o criminoso (interpor-se) _____ no seu caminho.

d) Logo que (surgir) _____ algum problema, por favor, (avisar/você) (a mim) _____ !

e) Se ele (intervir) _____ na discussão, eu saio imediatamente.

f) Embora tu (conseguir) _____ suportá-lo, eu talvez (reagir) _____ mais impulsivamente.

g) O ambiente melhoraria se ele (reaver) _____ a confiança dos colegas.

h) Assim que nós o (ver) _____, vamos dar-lhe um abraço.

i) É necessário que ele (retratar-se) _____ para que os colegas (pôr) _____ uma pedra sobre o assunto.

j) Havemos de anotar todas as falhas que (descobrir/nós) _____ .

k) Enquanto (haver) _____ um elevado lucro no tráfico de armas, as guerras nunca vão acabar.

l) Receamos que a empresa não (cobrir) _____ as despesas de deslocação.

m) Quando tu (vir) _____ a Lisboa outra vez, talvez (ver/tu) _____ muitas coisas diferentes.

n) Se tu (ver) _____ as novas estações do metro, talvez (vir/tu) _____ sempre nesse meio de transporte para a faculdade.

o) O senhor pode começar a preparar-se, assim que (requerer) _____ a prestação de provas.

p) Era natural que elas (precaver-se) _____ do frio.

q) A falta de água obriga a que nós (conter-se) _____ no seu uso.

r) A senhoria opõe-se a que nós (fazer) _____ reuniões em casa.

s) Caso o barulho (interferir) _____ no sossego dos vizinhos, temos de desligar o rádio.

t) Logo à noite, quando nós (sair) _____, temos que ter cuidado para que não (ouvir/nós) _____ um raspanete no dia seguinte.

29 **Transforme as frases com orações reduzidas em orações subordinadas, seguindo o exemplo.**

Exemplo: Lida a sentença, todos abandonaram a sala.

a) É necessária a tua vinda urgente.

_____

_____

b) Estando a chover, não saímos.

c) Não desaprendi as lições recebidas.

d) Eu ainda não a tinha visto depois de operada.

e) Era o sortilégio, a sedução, ferindo os corações.

f) Estonteado, agarrou-se à árvore.

g) Chegando à rua, arrependi-me de ter saído.

h) Mesmo não sabendo se lá chegarei, apetece-me iniciar a caminhada até ao sucesso.

i) Vi um grupo de homens conversando.

j) "Meu coração é um pórtico partido/dando excessivamente sobre o mar" (Fernando Pessoa).

k) Vimos as torres da igreja erguendo-se acima do arvoredo do jardim.

l) Virou-se e viu a amiga acenando-lhe com a mão.

m) Pensando bem, acho preferível irmos ao teatro.

_____

_____

n) Terminada a cerimónia, os noivos deram a volta ao adro.

_____

_____

o) "Desesperado, parecia um doido por toda a casa." (Miguel Torga)

_____

_____

p) Posta essa hipótese, então temos de aceitar que tens razão.

_____

_____

q) Não querendo impor a minha opinião, acho que deves deixar de fumar.

_____

_____

r) Em lhe cheirando a petisco, não sai de ao pé de nós.

_____

_____

s) Feitas as contas, concluímos que tinha valido a pena vir de comboio.

_____

_____

t) Mantendo a calma, consegues resolver a questão mais facilmente.

_____

_____

30 Complete as frases com as formas verbais corretas.

a) A tendência não é tão exclusiva que (diferir) _____ de cultura para cultura.

b) Quem dera que se (cumprir) _____ metade que (ser) _____ de tudo o que se promete.

c) Espera-se que os professores não (interferir) _____ nas questões exclusivas dos estudantes.

d) É provável que alguns grupos (intervir) _____ a favor das medidas governamentais.

e) É-lhe impossível empreender tarefas que (exigir) _____ o reconhecimento da cor.

f) Tomara que o laboratório (prover-se) _____, mais que não (ser) _____, dos aparelhos essenciais para análises clínicas.

g) A falta de vitaminas faz com que muitas crianças (padecer) _____ de raquitismo.

h) Comportava-se como se (ser) _____ dona do mundo.

i) Era importante que ela (consciencializar-se) _____ de que a vida é efémera.

j) Não houve ninguém que não (referir-se) _____ ao facto de forma consternada.

k) Tenho dúvidas que ele, apesar de ser tão contundente, (destruir/a) _____ psicologicamente.

l) Se nós (reter) _____ na memória os seus aspetos mais positivos, vamos certamente defini-la como uma mulher de fibra.

m) É normal que ela (recear) _____ o futuro e que nós também (recear/o) _____.

n) Embora a filha (presenciar) _____ constantemente cenas violentas, faz os possíveis por não se envolver emocionalmente.

o) É natural que ela (odiar) _____ o pai.

p) A investigação permitiu que nós (saber) _____ o que se passava naquela família.

q) Não é de admirar que nós (estar) _____ preocupados com a situação de rutura.

r) Bastava que eles (aprazar) _____ um encontro com a assistente social.

s) Acho bem que ela (acercar-se) _____ daqueles que lhe poderão prestar auxílio.

t) Às vezes, basta que alguém (premir) _____ um botão.

31 Complete as frases com as formas verbais corretas.

a) Basta que tu (repor) _____ o dinheiro, para que (ser/tu) _____ imediatamente perdoado.

b) Custa-me a crer que eles (viajar) _____ com este temporal.

c) As reações dele surpreendiam-na, como se ele (vir) _____ doutro planeta.

d) Há quem (dizer) _____ e (repetir) _____ que rir faz bem à saúde.

e) A notícia fez com que nós (vibrar) _____ de emoção.

f) Admito que nós (poder) _____ ganhar o campeonato no próximo ano.

g) As circunstâncias obrigam a que (deter-se/nós) _____ na análise minuciosa do caso.

h) Ela não admitia que alguém (obstruir/a ela) _____ o caminho.

i) Acho bem que tu (manter-se) _____ calado.

j) É normal que muita gente (odiar/ela) _____; é natural que assim (ser) _____.

k) Fale mais alto de modo a que nós (poder) _____ ouvir.

l) Chovia imenso, de modo que nós não (poder) _____ sair.

m) É sabido que muitos problemas (advir) _____ de traumas de infância.

n) Seria bom que eles (saber) _____ como lidar com a questão.

o) É melhor sairmos já, antes que (fazer-se) _____ tarde.

p) Faço as pazes contigo, desde que tu (pedir) (a mim) _____ desculpa.

q) Acusaram-no injustamente, sem que (poder/ele) _____ defender-se.

r) Por mais que o juiz (imputar) (a ele) _____ responsabilidades, ele continua a negar os factos.

s) Quer tu (vir) _____ quer (ficar/tu) _____ por aí, os meus sentimentos não vão mudar.

t) Podia ser que ele (avir-se) _____ com o sócio e, assim, (deixar/eles) _____ tudo esclarecido.

32 Complete as frases com as formas verbais corretas.

a) O resultado não se altera, a menos que tu (requerer) _____ revisão de prova.

b) Por mais esforços que nós (fazer) _____, não podemos superar as dificuldades.

c) Aceito as tuas desculpas, contanto que tu não (repetir) _____ os mesmos erros.

d) Foi difícil encontrar quem (poder) _____ ajudar-me.

e) O senhor pode indicar-me um restaurante económico onde eu (poder) _____ comer bem?

f) Não consegui arranjar um eletricista que (pôr) _____ a máquina a funcionar.

g) Vamos comprar já os bilhetes, de modo a que ainda (haver) _____ bons lugares.

h) Não há ninguém que (ver) _____ os seus próprios erros, antes que lhos (apontar) _____ primeiro.

i) Se a senhora (reaver) _____ as suas joias, informe-nos imediatamente.

j) Dou sempre um passeio a pé, quer (chover) _____ quer (estar) _____ sol.

k) Houve quem (levantar-se) _____ a meio do debate.

l) As más interpretações deram origem a que ela (sentir-se) _____ ofendida com as colegas.

m) Quando ela estava triste, fazia os possíveis para que ninguém (aperceber-se) _____.

n) Embora tu (perder) _____ a cabeça frequentemente, eu compreendo-te muito bem.

o) Não somos tão descuidados que (ter) _____ que ouvir um raspanete todos os dias.

p) Não me parece que o problema (provir) _____ da falta de cuidado.

q) Ainda que ela (pedir/a mim) _____ desculpa, eu não vou aceitar.

r) Receio que (surgir) _____ algum mal-entendido entre nós e que isso (poder) _____ afetar a nossa relação.

s) Caso nós (aborrecer-se) _____ neste lugar, podemos partir em busca de outro mais agradável.

t) Mesmo que nós (querer) _____ ajudá-la, ela não nos dá qualquer hipótese de o fazermos.

33 Complete as frases com as formas verbais corretas.

a) Temia que a proibição (trazer/a ele) _____ dissabores.

b) Vamos estar lá muito cedo, para que (poder/nós) _____ arranjar um bom lugar.

c) Não me parece que o seu caso (requerer) _____ uma atenção especial da parte do reitor desta universidade.

d) Se (haver) _____ muitas reclamações, reuniremos o Conselho Pedagógico.

e) Sabes de algum restaurante onde eu (poder) _____ comer todos os dias por um preço em conta?

f) Por favor, fale mais alto, de maneira que eu (ouvir) _____.

g) Se as autoridades (precaver-se) _____ a tempo contra a epidemia, talvez ela não alastrasse por todo o país.

h) Não convém que se (obstruir) _____ a ação do Governo.

i) O facto de eu não me manifestar não implica que eu (perder) _____ a força para pôr tudo em pratos limpos.

j) Pode ser que os seguranças não lhe (impedir) _____ a passagem.

k) Tomara que (chegar) _____ o dia em que todos (conseguir/nós) _____ caminhar lado a lado, sem preconceitos!

l) A falta de cuidado dos automobilistas tem feito com que o número de acidentes (subir) _____ de forma assustadora.

m) Seria necessário que as autoridades (pôr) _____ cobro à situação.

n) Sugerimos que se (aplicar) _____ multas elevadas.

o) Bastava que (incutir/nós) _____ no espírito dos cidadãos a noção de civismo.

p) Caso o assunto (vir) _____ a ser discutido, não vamos deixar de dar a nossa opinião.

q) Quer se (perder) _____ tempo em discussões, quer se (optar) _____ pela via mais fácil, estamos determinados a fazer tudo para que o resultado do encontro não (ser) _____ nulo.

r) Houve quem (propor) _____ que se fizesse um inquérito de auscultação da opinião pública.

s) Partimos tranquilamente, sem que (prever/nós) _____ o que iria acontecer pouco depois.

t) Que eu (saber) _____, ainda não foi conseguida a paz entre israelitas e palestinianos.

34 **Complete as frases com as formas verbais corretas.**

a) Se ele (reaver) _____ os objetos roubados, vai logo pô-los num cofre seguro.

b) Caso (haver) _____ dificuldades em fazer o seguro, podes avisar-me?

c) Quando tu (pôr) _____ o anúncio no jornal, indica a melhor hora para te telefonarem.

d) Logo que tu (conseguir) _____ saber a morada dele, avisa-me.

e) No caso de nós não (poder) _____ contactar-te pelo telefone, enviaremos um fax.

f) Se nós (poder) _____ ir comprar os bilhetes amanhã, queres que nós (contar) _____ contigo?

g) Mesmo que o teu discurso (agredir/a mim) _____, não consegues irritar-me.

h) Normalmente, eu sinto-me à vontade, se bem que, em certas situações, (perder/eu) _____ momentaneamente a calma.

i) Embora ele (transgredir) _____ frequentemente, ela perdoa-lhe sempre.

j) Não nos parece que ele (odiar/a) _____, talvez apenas (menosprezar/a)

_____.

k) É imprescindível que os cidadãos (insurgir-se) _____ contra os abusos de poder.

l) Aguardamos ansiosamente que os resultados (sair) _____.

m) Desejamos que vocês (adquirir) _____ o máximo de conhecimentos possível.

n) Talvez a questão (requerer) _____ uma atenção especial da parte das autoridades.

o) O atraso no guarda-roupa vai fazer com que nós não (estrear) _____ a peça este mês.

p) Oxalá (conseguir/nós) _____ ter tudo pronto no próximo mês.

q) Não vais arranjar lugar, a menos que (marcar) _____ com antecedência.

r) Se tu (querer) _____, eu posso fazer a reserva dos lugares.

s) Posso tratar-te de tudo, contanto que à última hora não (pôr/tu) _____ problemas.

t) Temo-nos esforçado muito, sem que (haver) _____ soluções imediatas para o caso.

35 Complete as frases com as formas verbais corretas.

a) Se (obter/tu) _____ a bolsa, avisa-me.

b) Caso (poder/tu) _____, claro!

c) Se (querer/tu) _____, podes telefonar-me.

d) Quando (saber/eu) _____ o resultado do meu exame, também te aviso.

e) Mal (chegar/eu) _____ a casa, vou consultar as listas na internet.

f) Assim que (sair) _____ as notas, quero ser informado imediatamente.

g) Antes de (ter/nós) _____ internet, tudo demorava muito mais tempo.

h) Logo que o meu pai (poder) _____, mandou instalar internet em casa.

i) Apesar de ainda (usar/nós) _____ muitas vezes o fax, a internet é mais prática.

j) No caso de (conseguir/tu) _____ a bolsa, podemos pôr em prática os nossos projetos.

k) Sonho com a tal viagem, se bem que o preço (ser) _____ muito elevado.

l) Por mais que os meus pais (convencer-me) _____ a visitar um país mais perto, eu não desisto do meu sonho de visitar a China.

m) Espero que não (mudar/tu) _____ de ideias no último momento.

n) Embora eu (confiar) _____ em ti, receio que (haver) _____ algum impedimento.

o) Gostava que (fazer/nós) _____ a viagem este verão.

p) Desejo que (ter/nós) _____ sucesso na nossa carreira universitária.

q) É necessário que (fazer/nós) _____ o percurso juntos.

r) Duvido que alguém (conseguir) _____ dar-se tão bem como nós.

s) Acho que nós (estimar-se) _____ como se (ser/nós) _____ irmãos.

t) Por nós (sentir-se) _____ tão ligados afetivamente é que partilhamos tudo um com o outro.

36 Complete as frases com as formas verbais corretas.

a) Ainda que a justiça portuguesa não (equivaler) _____ à celeridade, ultimamente, muitos casos têm sido resolvidos com razoável rapidez.

b) Não nos parece que os portugueses (reagir) _____ mal às mudanças.

c) Esperamos que, depois de tantas notícias, a montanha não (parir) _____ um rato.

d) Caso nós (poder) _____ estar presentes, não deixaremos de assistir ao julgamento.

e) Se nós (obter) _____ autorização para entrar, pediremos para fotografar e, assim, matamos dois coelhos de uma só cajadada.

f) Receio que o meu orientador (subvalorizar) _____ a minha investigação.

g) No caso de eles não (reaver) _____ a confiança do povo, será melhor afastarem--se.

h) Quer eles (manter-se) _____ afastados, quer (passear-se) _____ descaradamente pelo país, as opiniões negativas não irão mudar.

i) Assim que tu (saber) _____ mais alguma novidade, avisa-me.

j) A Provedora pôs os pés à parede e exigiu que a verdade (vir) _____ a lume.

k) Oxalá a comunicação social (pôr-se) _____ em sintonia, para que as notícias não (surgir) _____ muito divergentes.

l) A tranquilidade de espírito faz com que nós (sentir-se) _____ em harmonia connosco e com os outros.

m) É positivo que nós (querer) _____ reatar as nossas relações.

n) Gostávamos que a professora (dar/a nós) _____ toda a atenção.

o) Fazíamos tudo o que nos pedissem, desde que eles não (reter/nós) _____ por mais tempo naquele espaço imundo.

p) A situação parece complicada, a menos que a conjuntura económica internacional (alterar-se) _____ .

q) A correlação de forças não era suficiente para que o quadro económico (progredir) _____ .

r) Bastaria que os dirigentes (rever) _____ as estratégias políticas dos últimos tempos.

s) Esse facto implicava que muitos Estados (trazer) _____ os seus problemas internos para a praça pública.

t) Quando a população (requerer) _____ a revisão da Constituição, alguns deputados insurgiram-se contra tal solicitação.

37 Complete as frases com as formas corretas.

a) Convém que nós (trazer) _____ os dicionários para o exame.

b) Ela concordou em sair, conquanto o (fazer) _____ contrariada.

c) Pelo ar de aborrecimento que mostrava, suspeito que ela (aceitar) _____ o convite só para não ser desagradável.

d) Se eles não (precaver-se) _____ , a situação poderia tornar-se mais difícil a médio prazo.

e) Caso a verdade (repor) _____ , o ministro levantaria a queixa contra o jornalista.

f) Oxalá ele (agir) _____ corretamente quando tiver de se confrontar com a situação.

g) Pode ser que (haver) _____ algumas hipóteses de se resolver a questão a bem.

h) Se este impasse (manter-se) _____ , terá de haver novo encontro.

i) Isso não quer dizer que o prolongamento da discussão (equivaler) _____ a um perdão.

j) Embora ela (suster) _____ o choro por algum tempo, a partir de certa altura perdeu o controlo.

k) Caso o juiz (rever) _____ o caso, talvez (haver) _____ mais possibilidades de eu ser ilibado.

l) Passaram vários filmes didáticos sobre a União Europeia, a fim de que nós (europeizar--se) _____.

m) A senhoria disse-nos que podíamos usar a sala de estar, caso (aprazer/a nós) _____.

n) A deputada duvidou que o candidato (eleger) _____ apenas por mérito próprio.

o) Depois daquele escândalo, não me parece que ele (erguer) _____ a cabeça tão cedo.

p) Ela consegue expor os assuntos com clareza, embora, por vezes, (perder/ela) _____ o fio à meada.

q) Não se admite que pessoas intelectualmente informadas (aderir) _____ a ideias reacionárias.

r) Propusemos que se (obter) _____ uma licença da Câmara Municipal de Lisboa para que o projeto (poder) _____ avançar.

s) Não críamos que a carta (requerer) _____ alguma terminologia formal.

t) Era possível que o seu mal-estar (advir) _____ da falta de afeto que sentia.

38 Complete as frases com as formas corretas.

a) Ignoro que ele (promover) _____ na semana passada, porque (estar/eu) _____ ausente da empresa nas duas últimas semanas.

b) Acho bem que ela não (pôr) _____ o dinheiro naquele banco.

c) Por mais que ela (fazer) _____ esforços, não consegue pronunciar o ditongo nasal corretamente.

d) Talvez nós (produzir) _____ menos vinho que a Itália, mas duvidamos que a qualidade do vinho italiano (atingir) _____ o mesmo nível que a do vinho português.

e) Custa-me a crer que todos (saber) _____ o significado da expressão "ter dor de cotovelo".

f) Admito que tu (perder) _____ constantemente as chaves por (ser/tu) _____ distraída.

g) Tenho dúvidas que ele (querer) _____ cultivar-se.

h) Ainda que ele (esforçar-se) _____, não conseguia adaptar-se ao clima daquele país.

i) Se as pessoas não (ler) _____, não (progredir) _____ intelectualmente.

j) Por muito que ela (repetir) _____ a expressão "pregar um susto", não consegue memorizá-la.

k) O facto de nós não frequentarmos a igreja não implica que não (crer/nós) _____ em Deus.

l) É bom que nós (criar) _____ condições para que todos (aderir) _____ à campanha.

m) Peço-te que (inserir/tu) _____ esse assunto na ordem de trabalhos da próxima reunião.

n) A falta de segurança fez com que ele (pôr) _____ grades em todas as janelas.

o) É urgente que o Estado (prover) _____ todos os desalojados com agasalhos e medicamentos.

p) Talvez nunca se (provar) _____ a inocência do empregado.

q) Suspeito que a desconfiança (provir) _____ de atitudes menos corretas no passado.

r) Quer tu (sentir-se) _____ bem, quer (sentir-se) _____ mal, vais ter de continuar a viver nesse país.

s) É compreensível que nós (recear) _____ o futuro.

t) A crise obriga a que nós (remediar-se) _____ com o pouco que existe.

39 Complete as frases com as formas verbais corretas.

a) Caso a notícia (vir) _____ a ser divulgada, vai ser um escândalo nacional.

b) Há decisões que serão tomadas, se alguns favores (concretizar-se) _____ .

c) Não posso concordar com a atitude do Primeiro-Ministro, a menos que ele (demarcar--se) _____ da posição de alguns países.

d) No caso de (haver) _____ alterações na estratégia a seguir, se isso (significar) _____ um "não" à guerra, então, darei todo o apoio.

e) Achamos que é sempre possível um processo de paz, desde que os países (predispor--se) _____ a tal.

f) O mundo poderá estar seriamente condenado, a não ser que os governantes (conter-se) _____ nos seus excessos de protagonismo.

g) Se o processo de paz não (provir) _____ de discussões honestas, então, todas as cimeiras não passarão de exibicionismo hipócrita.

h) Caso nós (poder) _____ intervir, não deixaremos de dar a nossa opinião.

i) Vamos estar muito atentos às notícias, no caso de as autoridades (manifestar-se) _____.

j) Caso nós (recear) _____ um ataque, tomaremos as devidas precauções.

k) Se tu (obter) _____ algumas informações, avisa-me.

l) É bom estarmos em contacto, contanto que eles (dar) (a nós) _____ essa possibilidade.

m) Eu ficarei em casa toda a tarde, a menos que (surgir) _____ algum imprevisto.

n) Odeio ficar em casa, mas se não (haver) _____ outra possibilidade, tenho de me conformar.

o) Caso os manifestantes (provocar) _____ distúrbios, vai ser o caos.

p) Temos força suficiente para suportar tudo, contanto que não (faltar) (a nós) _____ o sentido de humor.

q) Se os países não (pôr) _____ cobro aos excessos de violência, o mundo tornar--se-á inabitável.

r) Temos esperança no futuro, a não ser que algo muito grave (fazer) (a nós) _____ mudar de opinião.

s) Se todos nós (decidir-se) _____ a tornar o mundo melhor, então ele será mesmo melhor.

t) Isso só será possível, se cada um (impor) _____ a si próprio um esforço para uma paz autêntica e duradoura.

40 Construa frases seguindo o exemplo.

Exemplo: Ele tem espírito de luta. Consegue vencer as dificuldades.
Se ele não tivesse espírito de luta, não conseguia (conseguiria) vencer as dificuldades.

a) Não como muitas gorduras. Não tenho problemas de colesterol.

_____

_____

b) Apanhamos um táxi. Chegaremos lá mais depressa.

_____

_____

c) Ela retém os acontecimentos na memória. Pode relatar tudo com pormenor.

_____

_____

d) Eles estão assustados. Requereram a presença dos advogados.

_____

_____

e) O Procurador-Geral da República proverá as condições solicitadas. Eles estão mais tranquilos.

_____

_____

f) As notícias ferem as sensibilidades. As pessoas sentem-se chocadas.

_____

_____

g) É tudo muito grave. O país encontra-se em estado de choque.

_____

_____

h) Os jornalistas fazem um bom trabalho. Recebemos notícias frescas a cada momento.

_____

_____

i) Ele não vê televisão. Não fica informado.

_____

_____

j) Eu leio todos os jornais. Mantenho-me a par das últimas notícias.

_____

_____

k) Há jornais para todos os gostos. As pessoas não se limitam só a um tipo de informação.

_____

_____

l) As autoridades não querem tornar público os escândalos. Sugerem contenção à comunicação social.

_____

_____

m) Há quem especule sobre a situação. As vendas dos jornais sobem em flecha.

_____

_____

n) As informações provêm de fontes fidedignas. Não podemos duvidar delas.

o) Muitos preferem o silêncio. Outros casos não se conhecerão.

p) A Polícia Judiciária detém-se na análise minuciosa da situação. Não corre o risco de decisões ilegais.

q) As pessoas protegem-se contra possíveis ataques. Promovem reuniões estratégicas.

r) Mantemo-nos atentos. Não nos desviamos da questão.

s) Eles reconstroem toda a história. Apercebem-se de pormenores aparentemente supérfluos.

t) Preocupamo-nos com a moral pública. Os culpados não poderão ficar impunes.

NOTA: as formas verbais no Condicional podem ser substituídas por formas verbais no Pretérito Imperfeito do Indicativo.

41 Construa frases condicionais seguindo o exemplo.

Exemplo: Não saí no domingo à noite. Não vi o fogo de artifício.
Se eu tivesse saído no domingo à noite, tinha (teria) visto o fogo de artifício.

a) Ela manifestou-se descontroladamente. Perdeu as razões que tem.

b) Eu pus um anúncio no jornal *Expresso*. Consegui vender o meu carro facilmente.

c) Ele previu o desfecho da situação. Precaveu-se a tempo.

_____

_____

d) As revelações provieram do jornalismo de investigação. Nós ficámos a par dos factos.

_____

_____

e) Não abriste as janelas. O fumo não desapareceu.

_____

_____

f) Não me informaram das condições do clima. Aceitei aquela missão.

_____

_____

g) Não revimos a matéria. Tivemos dificuldade em fazer a prova de exame.

_____

_____

h) Elas preferiram viajar de avião. Chegaram mais depressa.

_____

_____

i) Tu intervieste a tempo. A situação da empresa ficou a salvo.

_____

_____

j) Sentia-me bem naquele país. Resolvi, a dado momento, fixar-me lá.

_____

_____

k) Apeteceu-me viver novas experiências. A minha visão do mundo alargou-se.

_____

_____

l) Houve momentos de alguma tensão. O desafio tornou-se mais excitante.

_____

_____

m) Refez-se do susto. Decidiu-se, então, a continuar a viagem.

_____

_____

n) Ela imprimiu mais velocidade ao carro. Os assaltantes não conseguiram alcançá-la.

_____

_____

o) O nosso candidato não foi eleito. Os projetos sociais foram por água abaixo.

_____

_____

p) Não se inteiraram dos factos com rigor. Perderam as oportunidades de apresentar críticas construtivas.

_____

_____

q) Importei-me sempre com o rigor e o sentido de responsabilidade. Por isso, fui sempre muito exigente comigo própria.

_____

_____

r) Disse-lhe sempre tudo o que sentia. Passou a confiar abertamente em mim.

_____

_____

s) Ganhei uma bolsa de estudo. Foi-me possível continuar a frequentar o curso de português.

_____

_____

t) Os pais investiram na educação do filho. Ele fez uma carreira brilhante como cientista.

_____

_____

NOTA: as formas do verbo (auxiliar) "ter", no Condicional, podem ser substituídas por formas do Pretérito Imperfeito do Indicativo.

42 Complete as frases com as formas verbais corretas.

a) É bom que, nesta sociedade, mesmo nas coisas mais modernas, não (descurar/nós) _____ a parte humana.

b) Deseja-se que as pessoas (manter) _____ o direito inalienável de serem o elemento primordial da sociedade, e não as máquinas.

c) Espera-se que as tecnologias (pôr-se) _____ ao serviço das pessoas e não o contrário.

d) É preocupante que, numa sociedade, as pessoas (contar) _____ como números ou estatísticas e não como pessoas.

e) O mais elementar direito de uma criança é ter quem (defender/a) _____ e (proteger/a) _____ das "agressões" do mundo.

f) Ela precisa de alguém em quem (poder) _____ confiar, alguém com quem (contar) _____ nos momentos importantes da sua vida.

g) É uma tortura suplementar que se (obrigar) _____ uma criança a depor perante um tribunal, com toda a paramentação ritual intimidatória que os tribunais têm.

h) Só uma cultura baseada na lei do mais forte sobre o mais fraco é que não aceita que a vítima (reagir) _____ a maus tratos e abusos e (queixar-se) _____.

i) Há lares burgueses onde as crianças (torturar) _____ psicologicamente, para serem mais "dóceis" ou "competitivas".

j) Que exemplo ético alguns jornalistas (dar) _____ à sociedade, ao (aceitar) _____ dinheiro a troco do silenciamento de um crime?

k) Há quem (garantir) _____ que o seu prestígio se manterá incólume.

l) O afã de fornecer notícias frescas, leva a que, muitas vezes, (distorcer/eles) _____ a verdade dos factos.

m) A inexorável questão do rapto de crianças implica que as polícias internacionais (intervir) _____ e (empenhar-se) _____ mais ativamente e com toda a celeridade.

n) Se (ter/nós) _____ em linha de conta que a questão é internacional, não (poder//nós) _____ compreender que muitos casos (arrastar-se) _____ por anos e anos, sem os familiares (obter) _____ qualquer promessa.

o) A questão não é tão insignificante que (excluir-se) _____ das prioridades básicas das investigações.

p) Temos esperança que os governantes nunca (perder) _____ o verdadeiro sentido da ética.

q) Gostaríamos que o futuro (trazer/a nós) _____ mais tranquilidade.

r) Quer as pessoas (insurgir-se) _____ contra as injustiças, quer (manter-se) _____ caladas, o essencial é que o exercício da justiça (ser) _____ efetuado corretamente.

s) Custa a crer que (haver) _____ quem (destruir) _____ e (agredir) _____ só pelo prazer sádico de ver o sofrimento alheio.

t) Quem dera que um dia (conseguir/nós) _____ entender-nos e (caminhar) _____ lado a lado, como iguais que somos.

43 Construa frases corretas usando o indicativo, o conjuntivo ou o infinitivo.

a) Convém (trazer/nós) _____ o dicionário para a aula.

b) Consta (haver) _____ manifestações de rua.

c) Não adianta (opor-se/tu) _____ à decisão da tua colega.

d) (Cumprir) _____ aos governantes (tomar/eles) _____ medidas de emergência.

e) Cabe-nos (escolher/nós) _____ um delegado sindical.

f) Creio (provir/eles) _____ de meios sociais baixos.

g) Convinha-me (aprovar/eles) _____ a minha proposta.

h) Interessa-lhes (haver) _____ elevada percentagem de abstenção.

i) Gostávamos (celebrar/eles) _____ connosco a vitória do nosso partido.

j) Gostamos (participar/nós) _____ na vida política nacional.

k) Elas esperam (saber/nós) _____ os resultados quanto antes.

l) Garantes (prever/os jornalistas) _____ os resultados há um mês?

m) Asseguras-me (privar/o candidato da direita) _____ com Le Pen nos últimos tempos?

n) Suspeito (não agir/eles) _____ tão depressa quanto seria desejável.

o) Apraz-me (constatar/eu) _____ que me tens sido leal.

p) Apetece-me (proferir/eu) _____ um discurso em tua homenagem.

q) Urge (fazer/nós) _____ alguma coisa para impedir a falência da empresa.

r) É imprescindível (pôr/nós) _____ cobro à anarquia que reina no seio da empresa.

s) Pressinto (enfrentar/nós) _____ tempos difíceis a médio prazo.

t) Temo (não manter-se/nós) _____ tão unidos quanto necessitamos.

44 Palavras menos comuns: insira-as no contexto apropriado.

condicentes despicienda displicente dissentir dúctil embófia exangue exiguidade

extravaganciar impante inanidade indeléveis inexorabilidade iniquidade inusitadamente

inveterado maledicência meliantes pertinência prolixo pusilânime

a) Alguém lançou um boato que afeta a dignidade moral do Primeiro-Ministro, o que consideramos que é de uma _____ sem limites.

b) Quando se fala de política e da evolução da História, o Pedro, que parou no tempo, _____, faz afirmações incríveis.

c) O Marquês de Marialva, apesar das dívidas, apresentava-se nos salões sempre com o seu ar _____ , pleno de _____, como se fosse dono do mundo.

d) Se a um apoiante de um regime não agradam as práticas seguidas pelo mesmo, ele tem o direito de _____; não pode ser condenado por tomar essa decisão.

e) As constantes discussões dos pais ao longo dos anos deixaram marcas _____ naquela criança.

f) O facto de o Ministro da Educação dar erros gramaticais quando fala, não é uma questão _____; alguém terá de lhe chamar a atenção.

g) O cientista é muito sabedor, mas não tem o dom da comunicação: o seu discurso foi demasiado _____, todos estavam saturados de o ouvir.

h) Angustiava-a a terrível _____ do passar do tempo.

i) Ficámos chocados com a atitude _____ do Ministro do Trabalho, perante a notícia do aumento do desemprego no nosso país.

j) Desagradava-me, não só o seu aspeto físico, mas também, e sobretudo, as suas atitudes ambíguas e o seu ar _____.

k) Por mais que lhe digam que fumar é nocivo para a saúde, ele não desiste; é o que se chama um fumador _____ .

l) O Francisco sempre foi esbanjador e em pouco tempo conseguiu _____ tudo o que o pai lhe deixou por herança.

m) Após ter perdido o emprego, o Paulo e a família viviam numa terrível _____ de meios, tendo de fazer muitos sacrifícios.

n) As teorias que o líder do partido defende não são _____ com a prática de vida que tem.

o) A _____ com que alguns cidadãos têm sido tratados pela justiça portuguesa, é de bradar aos céus.

p) Depois de aturada investigação, a polícia conseguiu capturar os _____ .

q) Depois de atingido em combate, o soldado, _____, ainda disse algumas palavras.

r) Admiro-me como ela pode ser Ministra da Cultura, pois sempre achei que é uma pessoa de uma _____ incrível.

s) O professor de Filosofia tem sempre observações profundas e de grande _____.

t) Constatamos, a cada momento, que a nossa nova diretora é uma pessoa de personalidade _____, com quem dá gosto trabalhar.

45 Utilize o verbo *dar* com preposições em substituição das partes destacadas e, sem alterar o sentido, faça as necessárias alterações.

a) Eu tenho um bom relacionamento com todos os meus colegas.

_____

_____

b) Depois de forte discussão, a conversa resultou em corte de relações.

_____

_____

c) A casa fica contígua com o parque municipal.

_____

_____

d) Quando me apercebi do lapso, já era demasiado tarde.

_____

_____

e) Depois de tanto procurar, finalmente encontrei as chaves debaixo do sofá.

_____

_____

f) Essas sardinhas são suficientes para tanta gente?

_____

g) O jovem toxicodependente deixou a heroína, mas tornou-se alcoólico.

_____

h) Ela não quer viver em Angola, porque sofre do coração e não suporta o calor.

_____

i) Sou muito sensível ao sofrimento, acho que não me ajustava à função de médica.

_____

_____

j) Perante aquela multidão, eu nem reparei na presença do meu diretor.

_____

_____

k) O técnico já descobriu a causa da avaria na máquina.

_____

_____

l) Tomando um pau na mão, bateu com ele nos animais.

_____

_____

m) Agora o João anda com novas ideias: decidiu tentar o teatro, acha-se com talento para tal.

_____

_____

n) O povo começou a gritar veementemente, devido à falta de emprego.

_____

_____

o) Isto é de se ficar doido!

_____

_____

p) Começaram a cortar as árvores da rua; agora é uma desolação.

_____

_____

q) Ela começou a deixar de comer, sem que os pais soubessem por que motivo.

_____

_____

r) A polícia política agredia os prisioneiros sem dó nem piedade.

_____

_____

s) Fazia-se passar por muito rico, mas não tinha nada que fosse seu.

_____

_____

t) Eu já me sentiria satisfeita se ao menos ele não me aborrecesse.

_____

_____

PARTE 1

A NATUREZA

1. 1. d; 2. c; 3. b; 4. f; 5. a; 6. j; 7. g; 8. e; 9. i; 10. k; 11. h; 12. l.

2. a) com a cabeça na lua; b) um frio de rachar; c) ficou em águas de bacalhau; d) aos quatro ventos; e) tem névoa nos olhos; f) arranjar lenha para te queimares; g) Mandei (...) às urtigas; h) mandou-a à fava; i) tirar o cavalo da chuva; j) chamo-lhes um figo; k) sol de pouca dura; l) estava com um grão na asa.

3. a) ar [imaginar coisas irrealizáveis]; b) estrelas [sofrer de repente uma grande dor]; c) cântaros [chover em grande quantidade]; d) das nuvens [ter uma grande surpresa]; e) o céu e a terra [fazer tudo, fazer os possíveis]; f) as galinhas [deitar-se muito cedo].

4. a) 8 [nunca dizer definitivamente que jamais fará tal coisa]; b) 9 [não merece ou não sabe aproveitar a oportunidade que lhe foi dada]; c) 5 [com persistência se consegue atingir o objetivo]; d) 6 [aquilo que não nos é permitido desperta mais a tentação]; e) 13 [todas as situações têm um lado menos bom]; f) 4 [se a origem é boa, daí resulta boa qualidade]; g) 10 [quem cria conflitos sofre os resultados]; h) 11 [no silêncio da noite se encontra a boa solução]; i) 2 [muitas palavras mas pouco conteúdo]; j) 3 [depois de um período difícil a situação melhorará]; k) 1 [o que já foi, não volta mais]; l) 7 [quem não se previne, sofre as consequências]; m) 12 [sinal de aviso: em tudo há causa e efeito].

5. a) água na boca [desejar ardentemente]; b) turvas [aproveitar-se de uma situação confusa]; c) ferver [irritar-se sem grande motivo]; d) moinho [agir em proveito próprio]; e) suar [esforçar-se muito]; f) bico [ter intenções reservadas]; g) a cabeça [estar mentalmente cansado]; h) remar [fazer esforços inúteis].

6. a) suámos as estopinhas; b) fazem-me água na boca; c) levar a água ao seu moinho; d) ferves em pouca água; e) pesca em águas turvas; f) tenho a cabeça em água; g) remar contra a maré; h) trazem água no bico.

A FAUNA

1. 1. e; 2. a; 3. c; 4. d; 5. b; 6. i; 7. f; 8. h; 9. g; 10. k; 11. j.

2. a) fazer mal a uma mosca; b) chorava lágrimas de crocodilo; c) apertados como sardinhas em lata; d) és teimoso como um burro; e) matar dois coelhos de uma cajadada; f) ser bode expiatório; g) meia dúzia de gatos-pingados; h) anda às aranhas; i) ficou com a parte de leão; j) fez um bicho de sete cabeças; k) contar com o ovo no cu da galinha.

3. a) 5 [na escuridão é normal não distinguir bem as coisas]; b) 8 [não se deve perder a esperança]; c) 15 [muito do que somos é consequência dos exemplos dados por nossos pais]; d) 12 [é melhor ter menos do que querer demasiado e não conseguir nada]; e) 9 [quando alguém faz alguma coisa e sofre com isso, jamais correrá o risco de voltar a fazer o mesmo]; f) 3 [fazer algo precipitadamente]; g) 1 [cada pessoa no seu devido lugar]; h) 6 [aos poucos se atinge um objetivo]; i) 13 [aquele que tem muita bazófia não faz aquilo que apregoa]; j) 14 [a um objeto dado, não se olha ao valor]; k) 4 [quando as gaivotas vêm para terra é sinal de que vai haver tempestade no mar]; l) 2 [oferecer coisas delicadas a quem é grosseiro e não as aprecia]; m) 7 [as pessoas cobiçam as coisas alheias]; n) 11 [uma pessoa mais velha aprende com mais dificuldade]; o) 10 [ficando calado corre-se menos risco de errar].

4. a) 2; b) 1; c) 3; d) 3; e) 1; f) 3; g) 1; h) 1; i) 2; j) 3.

5. a) matar o bicho; b) engolir sapos; c) encanam a perna à rã; d) comi gato por lebre; e) é macaco velho; f) estás com a mosca; g) corta-me (...) as asas; h) faz gato-sapato; i) como boi para palácio; j) andei às aranhas.

6. a) 4 [tratar muito mal]; b) 5 [nunca]; c) 6 [meditar, estar distante, alheado]; d) 10 [ficar muito zangado]; e) 3 [muito feio]; f) 8 [para conquistar as pessoas é preciso oferecer coisas atrativas]; g) 9 [pessoa precavida, desconfiada]; h) 2 [ir a um perigo por imprevidência]; i) 11 [recuar, acobardar-se]; j) 7 [ficar sob o domínio de alguém]; k) 1 [dizer ou cometer uma tolice].

7. a) Quando as galinhas tiverem dentes; b) é feio como um bode; c) ficou pior do que uma barata; d) Não é com vinagre que se apanham moscas; e) pensar na morte da bezerra; f) tratava (...) abaixo de cão; g) Meteu o rabo entre as pernas; h) caíram nas garras; i) meteste a pata na poça; j) está com a pulga atrás da orelha; k) meter-se na boca do lobo.

8. a) burro [estar amuado, aborrecido]; b) gato [aqui há erro, coisa, problema]; c) caranguejo [não progredir]; d) vespa [ter cintura fina, ser esbelta]; e) cavalo [mudar de uma boa posição para outra pior]; f) melga [uma pessoa maçadora]; g) macacos [mandar embora]; h) cordeiro [quieto, dócil]; i) cobras [muito má]; j) rato [muito estudioso]; k) vaca [repetir, repisar a mesma coisa].

O CORPO HUMANO

1. a) braços; b) calcanhares; c) costas; d) coração; e) cérebro; f) unha; g) orelhas; h) cotovelos; i) mão; j) bocas; k) pés (...) cabeça; l) língua; m) olhos.

© Lidel – Edições Técnicas, Lda.

2. a) fez orelhas moucas; b) tem as costas quentes; c) lhe chega aos calcanhares; d) fala pelos cotovelos; e) ficou de braços cruzados; f) fala (...) com o coração na boca; g) são unha com carne; h) não têm pés nem cabeça; i) anda nas bocas do mundo; j) fez-me uma lavagem ao cérebro; k) sabe (...) na ponta da língua; l) deu-te (...) de mão beijada; m) custou-me os olhos da cara.

3. a) mão [quem entende de um assunto não o deturpa]; b) boca [quem não se inibe de perguntar, mais facilmente resolve os problemas]; c) do coração [com o afastamento físico, o sentimento enfraquece]; d) cabeça [cada um tem a sua opinião pessoal]; e) boca [é perigoso falar demasiado]; f) os dedos [gaste-se tudo, mas acuda-se à saúde ou à vida].

4. a) conhecer [conhecer muito bem]; b) abanar [não obter o que se desejava]; c) dar o braço a torcer [ser firme e insubmisso]; d) falar [maldizer, difamar]; e) Dar [admitir um erro]; f) Encolher [desistir, desinteressar-se]; g) Ter [ser experiente, saber bem]; h) Puxar [pensar muito]; i) Bater [não encontrar ninguém]; j) Queimar [estudar afincadamente].

5. a) falas nas costas; b) conhece-a como a palma da mão; c) deram a mão à palmatória; d) não deu o braço a torcer; e) encolhe os ombros; f) tem dedo; g) vieram de mãos a abanar; h) batemos com o nariz na porta; i) queimar as pestanas; j) puxar pela cabeça.

6. a) queixo; b) tripas; c) pé; d) mão; e) boca; f) cotovelo; g) nariz; h) perna; i) cara; j) língua; k) papo.

7. a) estou com a mão na massa; b) Fizeram das tripas coração; c) têm dor de cotovelo; d) chegava-lhe a mostarda ao nariz; e) Faz (...) com uma perna às costas; f) batíamos o queixo; g) ficou de boca aberta; h) estavam com cara de caso; i) fiquei de pé atrás; j) de papo para o ar; k) deu com a língua nos dentes.

8. a) 1; b) 2; c) 3; d) 2; e) 1; f) 3; g) 2; h) 2; i) 3.

9. a) não teve papas na língua; b) com a boca na botija; c) fiquei a chuchar no dedo; d) pregar olho; e) deram com a língua nos dentes; f) pôr os cabelos em pé; g) de trás da orelha; h) com uma mão à frente e outra atrás; i) de pelo na venta.

10. a) No pé; b) ao pé; c) fora de mão; d) pé ante pé; e) pela mão; f) em mão; g) do pé para a mão; h) de//em pé.

11. a) olhos-8; b) osso-3; c) barba-1; d) língua-5; e) boca-6; f) garganta-9; g) mão-7; h) costas-4; i) coração-2.

12. a) sete cães a um osso; b) deita-te poeira aos olhos; c) fico com um nó na garganta; d) debaixo da língua; e) dá-lhe água pela barba; f) fugiu-lhe a boca para a verdade; g) tivesse as costas largas; h) tinha o coração ao pé da boca; i) ter mão.

AS PESSOAS

1. a) 6; b) 10; c) 11; d) 3; e) 1; f) 4; g) 5; h) 2; i) 7; j) 9; k) 8; l) 12.

2. a) semelhança física ou no comportamento; b) não se perdeu tempo na substituição de alguém; c) não é possível fazer de tudo e com perfeição.

A CASA

1. a) brasas; b) barraca; c) porta; d) loiça; e) lençóis; f) poleiro; g) garfo; h) eira; i) porta; j) parede; k) faca; l) rolha; m) fio; n) parafuso.

2. a) ficou em maus lençóis; b) um bom garfo; c) passar pelas brasas; d) surda como uma porta; e) dá barraca; f) falar de poleiro; g) cascos de rolha; h) é outra loiça; i) de fio a pavio; j) eira nem beira; k) atirar o barro à parede; l) de cortar à faca; m) estúpido como uma porta; n) entrou em parafuso.

3. a) depois de o mal acontecer é que as pessoas se acautelam; b) por vezes há falhas em quem devia saber do assunto; c) não contar com os familiares para resolver os problemas; d) quando falta o mais necessário, todos se descontrolam; e) deve-se viver independente dos pais, depois do casamento; f) as pessoas devem procurar parceiro com quem têm afinidades; g) o ato de casar requer reflexão e responsabilidade.

O VESTUÁRIO

1. a) 2; b) 1; c) 3; d) 1; e) 3; f) 3; g) 1; h) 1; i) 2; j) 3.

2. a) dar luvas; b) enfiar o barrete; c) falar com os seus botões; d) deram à sola; e) meter num chinelo; f) dar graxa; g) perdi o fio à meada; h) anda nos trinques; i) sacudir a água do capote; j) estão com uma pedra no sapato.

3. a) gaste-se tudo, mas acuda-se à saúde ou à vida; b) nada é perfeito, há sempre algo que falha; c) não levar as questões internas para a praça pública; d) ir procurar uma melhoria de vida e vir de lá pior; e) cada um é que sabe as dificuldades pessoais que tem.

4. a) luvas [ser subornado]; b) o cinto [diminuir os gastos]; c) casaca [bisbilhotar, maldizer]; d) se cose [saber da sua vida; saber os meios que há de empregar]; e) o chapéu [ser de excelente qualidade]; f) a bota [resolver um problema]; g) meia [poupar]; h) trapos [caluniador, maldizente].

OS ALIMENTOS

1. a) uvas; b) canja; c) esponja; d) frito; e) esturro; f) colherada; g) farinha; h) garfo; i) azeite; j) cepa.

2. a) fizeste farinha; b) cheirou-me a esturro; c) mete (...) a sua colherada; d) É canja; e) foi chão que deu uvas; f) é um bom garfo; g) estamos fritos; h) não sai da cepa torta; i) bebe como uma esponja; j) apagar o fogo com azeite.

3. a) 3 [quando há problemas, os mais débeis são os mais afetados]; b) 7 [guardar os haveres, distribuin-do-os por diversos sítios]; c) 8 [são dadas as oportunidades a quem não é capaz de as aproveitar]; d) 11 [depois do mal acontecido, não adianta lamentar]; e) 1 [o que tiver de ser nosso, será]; f) 10 [aconselha-se precaução, sempre]; g) 12 [para se conseguir algo, é preciso ter bases]; h) 4 [depois do plano concretiza-do, tarefa concluída]; i) 2 [é preciso alimentar tam-bém o espírito, aprender mais]; j) 14 [cuidado, para não sofrermos desilusões]; k) 5 [quando falta o mais necessário todos se descontrolam]; l) 6 [frontalidade acima de tudo]; m) 9 [se não tentarmos, mesmo ar-riscando, não conseguiremos bons resultados]; n) 13 [gasta-se mais do que se esperava, sem quaisquer vantagens]; o) 15 [o que vem de modo simples, facil-mente se consome]; p) 16 [especula-se demasiado sobre situações hipotéticas ou irreais].

4. 1. e; 2. g; 3. d; 4. a; 5. h; 6. j; 7. f; 8. c; 9. b; 10. i.

5. a) puxava a brasa à sua sardinha; b) pagava as favas; c) misturar alhos com bugalhos; d) de meia tigela; e) está com os azeites; f) caldo entornado; g) ficaram a pão e laranjas; h) pisar ovos; i) tens a faca e o queijo na mão; j) fresco como uma alface.

O DINHEIRO

1. 1. c; 2. d; 3. a; 4. e; 5. b; 6. f.

2. a) deitar dinheiro à rua; b) trabalhar para o bo-neco; c) pagará na mesma moeda; d) vivem às cus-tas; e) fazer contas à moda do Porto; f) tem dinheiro como milho.

3. a) é desejável que não se misturem negócios com amizade; b) evita dever algo a ricos e prometer algo a pobres, pois não te deixarão em paz; c) diz-se de quem tem muito dinheiro, sempre lhe chega ainda mais dinhei-ro; d) o hábito de poupança traz frutos no futuro; e) mui-tas das amizades são interesseiras ou de conveniência; f) o dinheiro não se sente, tem-se ou não se tem; g) na vida o dinheiro domina, dá poder; h) saber aproveitar o tempo, traz lucros; i) o dinheiro gasta-se, é vulnerável; j) a pouco e pouco se amealha, é bom saber poupar.

4. a) 3; b) 5; c) 6; d) 2; e) 1; f) 4.

A SAÚDE

1. a) veias [enfurecer-se]; b) faca [submeter-se a uma operação cirúrgica]; c) pés (...) cova [estar moribundo]; d) guelra [ser combativo, jovem]; e) pin-ga de sangue [estar apavorado, apanhar um susto]; f) rabo à seringa [esquivar-se a fazer alguma coisa].

2. a) saúde [diz-se de uma pessoa saudável]; b) cho-car [apanhar, pegar uma doença]; c) saúde [agredir, castigar].

AS CORES

1. a) amarelo [riso fingido, falso]; b) verdes [cheio de medo]; c) azul [coisa ótima]; d) claro/branco [sem dormir]; e) preto [claramente]; f) cor-de-rosa [não é realista]; g) verde [permitir]; h) roxa [muito invejo-sa]; i) branca [dar autorização]; j) negro [deprimido]; k) negra [agravam a situação]; l) vermelho [enver-gonhado].

OS NÚMEROS

1. 1. d; 2. c; 3. b; 4. a.

2. a) é um zero à esquerda; b) voltar à estaca zero; c) disse meia dúzia de verdades; d) está nas suas sete quintas.

3. a) 7 [guardar bem]; b) 7 [fugir a grande velocida-de]; c) 2 [conversar um pouco]; d) 7 [armar confu-são]; e) 31 [criar um problema bicudo].

4. a) dei dois dedos de conversa; b) fechada a sete chaves; c) arranjou um 31; d) fugiu a sete pés; e) pintou o sete.

5. a) 2 [a precaução evita muitos problemas]; b) 1000 [é uma forma pessoal, defensiva, de descul-pabilização dos erros]; c) milhão [poupando, a pouco e pouco se amealha uma boa quantia]; d) 100 [um só inimigo pode causar muitos danos]; e) 4 [o que se faz em conjunto é mais exato e mais perfeito do que feito individualmente]; f) 3 [quando algo aconte-ce, muitas vezes negativo, supersticiosamente pode atrair outras adversidades].

A MÚSICA

1. a) cantiga; b) viola; c) baile; d) galo; e) lamiré; f) música; g) vitória; h) música; i) trombone; j) can-tiga.

2. a) levou um baile; b) cantar vitória; c) cantar de galo; d) cantar a mesma cantiga; e) meteu a viola no saco; f) deu-me um lamiré; g) dar-me música; h) põe logo a boca no trombone; i) deixam-se ir na cantiga; j) dançar conforme a música.

3. a) quando há problemas na vida, o canto atenua esses problemas; b) só quem tem talento consegue produzir obras de qualidade.

A MORTE E A RELIGIÃO

1. a) 4; b) 3; c) 6; d) 8; e) 7; f) 5; g) 1; h) 2.

2. a) aquele que mais apregoa a moral, muitas vezes é quem menos a pratica; b) nem sempre a intenção significa concretização; c) perante o irreversível, ninguém nos pode valer; d) diz-se da pessoa precavida contra inimigos, que não está à espera de milagres; e) se chove em junho (S. João é a 24) é mau para as videiras e para os cereais; f) querer ser o maior moralista; g) a generosidade é um dom superior; h) nem tudo é mau; as coisas, parecendo más, podem ser encaradas de modo positivo; i) há quem brilhe apenas num ambiente em que não é conhecido; j) que a cada um seja dado o que lhe pertence; k) aconselha-se o hábito salutar de levantar cedo, porque traz vantagens.

3. a) 1 [morrer]; b) 2 [fugir com medo]; c) 1 [a ninguém]; d) 3 [causar pena, dó]; e) 2 [ser enganado]; f) 1 [criticar severamente]; g) 3 [estar com medo, preocupado]; h) 2 [ainda se está no começo de qualquer projeto]; i) 1 [passar por situações difíceis]; j) 3 [saber, mas não saber de tudo]; k) 2 [falecer].

4. a) é uma dor de alma; b) não lembram (nem) ao diabo; c) esticou o pernil; d) caem no conto do vigário; e) deu um sermão; f) anda com o credo na boca; g) comeu o pão que o diabo amassou; h) não sabes da missa a metade; i) fugi como o diabo da cruz; j) foi desta para melhor; k) ainda a procissão vai no adro.

VÁRIOS

1. a) Algarve-3; b) tijolo-8; c) cravo, ferradura-5; d) latim-7; e) boleia-4; f) lata-1; g) fio-2; h) pau-6; i) ii-10; j) fiada-9.

2. a) gastar o meu latim; b) horas a fio; c) passou as passas do Algarve; d) dá uma no cravo e outra na ferradura; e) é pau para toda a colher; f) Tens lata; g) estará a fazer tijolo; h) dar-me boleia; i) dá conversa fiada; j) pôr os pontos nos ii.

3. a) 3 [fazer figura ridícula]; b) 7 [luxuosamente, excessivamente]; c) 6 [tentar ou querer o impossível]; d) 5 [cometer erros de língua na fala ou na escrita]; e) 2 [pessoa que repisa as mesmas coisas]; f) 8 [correr bem]; g) 1 [tornar-se independente]; h) 4 [saber muito bem]; i) 10 [fazer ou dizer sempre a mesma coisa]; j) 9 [fazer pedido influente e favorável].

4. a) cortou as amarras; b) dares pontapés na gramática; c) ia de vento em popa; d) à grande e à francesa; e) sabe-a de cor e salteado; f) meter o Rossio na Rua da Betesga; g) vira o disco e toca o mesmo; h) fez figura de urso; i) metes uma cunha; j) chover no molhado.

5. a) 3; b) 6; c) 8; d) 10; e) 7; f) 4; g) 1; h) 5; i) 2; j) 9.

6. a) 7 [aquele em posição mais frágil é sempre mais afetado]; b) 1 [o tempo se encarrega de fazer justiça]; c) 10 [persistir até realizar]; d) 8 [diz-se que, na vida, negativo atrai negativo]; e) 6 [refere-se à indecisão ou indiferença]; f) 9 [na vida todos temos um papel a representar uns para com os outros]; g) 12 [deve-se

respeitar o gosto de cada um]; h) 5 [não se deixar afetar pelo que os outros dizem]; i) 4 [por vezes o que parece adverso acaba por ser positivo]; j) 2 [escolhem-se as companhias segundo as afinidades existentes]; k) 3 [quem chega a horas tem sempre vantagem]; l) 13 [as aparências nem sempre correspondem à realidade]; m) 14 [aproveitar o momento certo]; n) 11 [conforme fizeres assim terás].

7. a) pinto; b) maravilhas; c) nora; d) murcha; e) conta; f) cavaco; g) fossa; h) boneco; i) ovelha; j) obra; k) matar.

8. a) patinho-4; b) beicinho-8; c) arco-5; d) sarilho-7; e) seca-2; f) papéis-1; g) casca-3; h) navios-6; i) paraquedas-10; j) arames-9; k) ferro-12; l) batalha-11.

9. a) apanhámos uma seca; b) anda aos papéis; c) caiu que nem um patinho; d) fazeres beicinho; e) arma sempre sarilho; f) embandeiraram em arco; g) deu a casca; h) ficou a ver navios; i) cavalo de batalha; j) fui aos arames; k) caiu de paraquedas; l) fazem braço de ferro.

10. a) considera-se um bom hábito e salutar, o ato de deitar-se e levantar-se cedo; b) não são necessárias muitas palavras para que se entenda uma mensagem, basta ser subtil; c) quando alguém se recusa a aceitar a realidade, é como se fosse cego; d) quem conhece a liberdade, sofre quando não a tem; e) devemos poder contar com os amigos em todos os momentos; f) uma má companhia é pior do que a solidão; g) é fácil ter boas ideias, mas concretizá-las é que é mais difícil; h) é preferível a precaução ao remedeio; i) o silêncio é precioso em certas situações; j) é necessário que haja alguém que comande, para que haja ordem e progresso; k) tenta adaptar-te aos hábitos do lugar onde estiveres; l) incentiva-se a mudança para melhores condições; m) incentiva-se a ideia de não desanimar; n) ideia preconceituosa de que só no Norte de Portugal é que se trabalha e se contribui para a economia do país; o) em todas as regras há uma exceção.

PARTE 2

1. a) saem do, por; b) tratar, por; c) caíram sobre; d) correu em; e) acabaram por; f) caiu ao/no; g) levar, para; h) dão para; i) sai ao; j) tratar com; k) deixou de; l) Acabei de; m) caiu da; n) saiu-se, na; o) deitou, no; p) correram de, para; q) caiu em; r) levar-te a; s) acabei com; t) Trata-se de; u) deixou, por.

2. a) ficou de; b) voltou para; c) fica a; d) faz com; e) fica para; f) venhas pela; g) voltou-se para; h) vir a, de, para; i) fica na, no; j) andar de, andar de; k) vir a; l) ficaram de; m) ando a; n) fazia por; o) ficou-se por; p) Andamos para; q) vieram para; r) ficaram por; s) voltaste a; t) fazer de; u) ficaram sem.

3. a) Vamos ao (...), no; b) dá com; c) passa pela; d) chegou-se à; e) dava por; f) chegaram a; g) pôs-se a; h) passa por; i) deu em; j) se passam num; k) dá para; l) chegam para; m) passar sem; n) dá-se (...) com; o) foi/lançou-se sobre; p) passou a; q) dar com; r) pôs (...) sobre; s) chegou (...) de; t) foi para; u) deu com.

4. a) meteu-se a; b) pensar em; c) falou pelos; d) sabia (...) de; e) ter com; f) falar sobre; g) meter-se em; h) agiu segundo; i) pensas deste; j) Tenho (...) por; k) telefonou para, falar com; l) se metem (...) com; m) agiu em, pelos; n) pensar (...) sobre/no; o) Mete (...) no; p) Temos de; q) falar de; r) A (...) sabem; s) falar perante; t) falar por; u) tenha agido de.

5. a) está a; b) liga com; c) inclinaram-se sobre; d) fugiu por; e) decidiu-se a; f) cuidar de; g) ajudar-te-ei em; h) estava para; i) inclinámos (...) para; j) cuidava em; k) ligar para; l) fugiu de; m) estão de, estão de; n) decidiste (...) sobre; o) estamos com; p) liga-se a; q) inclinava-se pela; r) estão por; s) decidi-me por; t) ligar à; u) ajudou (...) a.

6. a) olhar para; b) puxa pelos; c) troce pelo; d) pede a; e) participar na; f) aproveitava-se da; g) carregar com; h) toquem nos; i) envolvê-lo com/em; j) tocam a; k) aproveita a; l) olhando por; m) é para; n) puxou da; o) carregar no; p) pedir-lhe pela; q) participado em; r) é de; s) olham a; t) envolvia-se (...) nas.

7. a) veste-se de; b) sonhava com; c) forçaram (...) a; d) continuas a; e) telefonar ao; f) cessou de; g) aprendi a; h) agradeceu ao; i) precisas de; j) enviar (...) aos; k) assistimos a; l) queixa-se da; m) compares (...) com; n) namorava com; o) cumprem com; p) continua com; q) agradeceu ao.

8. a) creem em; b) lembra-lhes para; c) valeram-se do; d) faltei aos; e) valeu-se do; f) traduzir (...) de (...) para; g) lembrou-se de; h) pertenciam aos; i) dedica-se à; j) faltou à; k) dedicou (...) à; l) referiram-se ao (...) às; m) licenciou-se em (...) com; n) faltava (...) para; o) dedicou-se à; p) apaixonei-me pela; q) apaixonou-se pelo.

9. a) conta com; b) desfrutar da; c) entrou na, aproximou-se dum; d) transmitiu (...) aos; e) entrar connosco; f) tropecei num; g) esquecemo-nos de; h) esforçou-se por, por; i) obedecerias às; j) aproximou-se da, saltou para; k) substituída por; l) entraram em; m) desfrutar da; n) contou-lho; o) proibe (...) de; p) entregues aos; q) tropeçou numa.

10. a) exigido (...) da; b) te zangues com; c) ameaça (...) com; d) tingiu (...) de; e) sorriu para; f) dirigiu-se a; g) troçavam do; h) compõe-se de; i) ralhar com/à; j) formei-me em (...) pela; k) abusou da (...) da;

l) revelou (...) à; m) tachou de; n) rogavam por; o) atenderão aos; p) rogava a; q) opunha-se à.

11. a) responderei à; b) te preocupes com; c) oferecem (...) às; d) perguntar pelo; e) responder por; f) cabia na; g) pediram (...) a; h) deparei com; i) se ofereceu à; j) sofre de; k) brindou à, à; l) cabe a; m) diz (...) com; n) deparei com; o) brindou (...) com; p) respondia (...) por; q) sofriam/sofreram com.

12. a) felicitaram (...) por; b) sobreviveram a; c) matricular (...) numa; d) consiste em; e) insiste em; f) aborreceu-se de; g) arrependes-te de/por; h) sobreviveu ao; i) renunciou ao; j) Aborreci-me com (...), com; k) persuadiu-a; l) lidar com; m) persuadiram-na de; n) aborrece-me com; o) lidar (...) com; p) disparou contra; q) matricular-me na.

13. a) começou a; b) admitiram no; c) servir de; d) desistir do; e) abateu-se sobre; f) começámos pelos; g) prefere (...) a; h) foi admitido no; i) abateu sobre; j) vingou-se do; k) serve-se (...) das; l) prefiro (...) ao; m) serve para; n) desistiu de; o) admitia (...) aos; p) começou (...) com; q) casar com.

14. a) vendeu (...) ao (...) por; b) a (...) se deve; c) apanhar com; d) penetrou nos; e) gozam com; f) convenceu-se de; g) obrigou-me a; h) repercutiram-se em; i) trocar (...) por; j) convenceu (...) da; k) se absteve dos; l) limitou-se a; m) depende (...) do; n) convenceu-nos a; o) tivesse resistido aos; p) obrigou-se a; q) repercutia-se no/pelo.

15. a) baseou (...) nos; b) recolheu-se num; c) foi dividida em; d) agarrou-se à; e) muniram-se de; f) declarava-se à; g) contribui com; h) declaraste aos; i) prometi às; j) baseia no; k) eleva-se a; l) recolheram numa; m) rendeu-se às; n) finge-se de; o) agarrou-se a; p) contribuiu para; q) me abstrair dos.

16. a) reduzir ao; b) acedeu aos; c) desceu do; d) se preste a; e) arriscava-se a, investiu (...) em; f) colidiu com; g) coseu-se com; h) prestaram-se a; i) acedeu a; j) incidia sobre; k) reduziram-se a; l) prestam para; m) desceram até; n) incidirá (...) sobre; o) reduziram (...) a; p) promoveu (...) ao; q) investem (...) contra.

17. a) se afastou (...) dos; b) trepou para; c) consentiu em; d) perdoar ao, enganava com; e) divertimo-nos (...) a; f) subiu até aos; g) enganei-me na; h) afastar (...) das; i) atribuo (...) à; j) afastar (...) para; k) diverti-me com; l) te enganaste nos; m) afastaram (...) da; n) reparei em; o) atribui-se a; p) perseverarmos na; q) pesavam no.

18. a) confiar em, na; b) luta contra; c) chocou contra; d) gabar-se de; e) encarregámo-lo de; f) acenou-lhe com; g) lutaram (...) com/contra; h) chocou (...) com; i) luta contra; j) destina-se a; k) gaba-se de; l) lhe acenou com; m) lutam pelo; n) destinam-se aos; o) encarregou-se dos; p) culparam de; q) se proteger contra o/do.

Soluções

19. a) ceder (...) ao; b) desataram a; c) arrastaram-na para; d) admirei-me de/por; e) lançou-se sobre; f) arrastou-se por; g) lançaram-se à; h) se rodeou de; i) cederá em; j) encerrar-te na; k) rodeou (...) com/de; l) lançou-se da, à; m) admirou (...) pela; n) rodearam-na com/de; o) ceder às; p) arrastava-se pela; q) carecem de.

20. a) assemelha-se a; b) convidou-a para; c) tende a; d) converter (...) em; e) encheu-se de; f) convidá-los a; g) arranjar-te com; h) venceu (...) por; i) convertê-la ao; j) tende para; k) conformarem-se com; l) encheu-lhe (...) com/de; m) deduzi das; n) converteram-se ao; o) convidou-os a; p) condizem com; q) eclodiram na.

21. a) ajustar (...) ao; b) se coíbe de; c) ajustaram-se com; d) corresponder-me com; e) afetaram (...) em, no; f) fiar-se nessa; g) mexeres no; h) ajustar (...) com; i) coíbe-se de; j) afetado à/para, à/para; k) terem incitado aos; l) rebelaram-se contra; m) ajustam-se (...) à; n) correspondia à; o) afetado ao; p) incitaram-no a, a; q) delegariam em/a.

22. a) rezam a (...) pelo; b) Parece-se com; c) se prendam por; d) tirou (...) da; e) debruça-se sobre; f) se preparou para; g) prende-se a; h) tirou-a da; i) preparou-se (...) para; j) amuou convosco; k) debruçou-se sobre; l) prende-se com; m) duvidam dela; n) preparar-me para; o) prendeu-se à; p) tirou dele; q) magoam (...) com.

23. a) apelou a/para; b) distraía das; c) conduz (...) à, ao; d) distraiu-se com; e) conduzir-nos-á; f) livrou-se das; g) acreditava nele; h) distrai-se com; i) livrá-la da; j) negociamos com; k) apelar da; l) resultam dos; m) persiste em; n) distrai-se a; o) negociou com; p) apelou aos; q) te confrontasses com.

24. a) advém do; b) se deteve em; c) partiram para; d) resignou a; e) apegou-se à; f) convém ao; g) apegar-te às; h) partiu do; i) resigno-me com; j) exibir-se na; k) parto do; l) resignaram-se a; m) me detive a; n) convir nas; o) exibiu-se perante; p) adveio da; q) advém do.

25. a) defendeu do; b) padecer de; c) atrapalhou-se com; d) convergiram (...) para; e) ofendeu-se (...) com; f) retiraram (...) do; g) defendemo-nos da; h) embrenhou-se na; i) retirou-se dos; j) converge com; k) embrenhou-se na; l) defender (...) dos; m) ofendeu-nos com; n) retirou-se para; o) convergem num; p) acusaram-no de; q) enfiado (...) na.

26. a) apontam para; b) deixou de; c) apontou (...) às, à; d) Parem com; e) refletiu-se no; f) escapar da; g) reuniu (...) numa; h) apontar à; i) confundi-me com, reprovei na; j) aconselhou-a a; k) escapar à; l) refletir sobre; m) entretinham-se a; n) reuniu-se com; o) confundiu (...) com; p) apontou com (...) para; q) se entreter com.

27. a) reter na; b) privam com; c) subiu até/aos; d) entendem por; e) suba para; f) demoraste a; g) privou-me de; h) coxeava da; i) se entendeu (...) com; j) reter do; k) jazia no (...), numa; l) demorar com; m) se priva de; n) entende (...) de; o) subiu ao, orar pelo; p) demorou-se em; q) confederaram-se num.

28. a) regressa do; b) se ocupam dos; c) adaptar-me ao, regressar ao; d) pegou-se com; e) prescindiu da; f) se ocupe com; g) preocupem com; h) fosse adaptado ao; i) se preocupou em; j) jurasse pelos; k) pega-se a; l) prescindir de; m) optei pelo; n) ter mergulhado (...) no; o) se pegou às; p) ocupas-te (...) a; q) data de.

29. a) tardam a/em; b) poupar (...) no; c) reclamar do/sobre o; d) sujei (...) com/de; e) explicar-te com; f) distribuir (...) a; g) cobriu-se de; h) tornar à; i) explica-se por; j) concerne aos; k) reclamaram (...) pelos; l) cobrir (...) com; m) varrer da; n) apoderaram-se de, de; o) distribuí-la por; p) tardou em; q) asilou-se na.

30. a) zelar pelo; b) habituou-se a; c) atrair (...) para; d) consagrar (...) à; e) recorreram a, à, à; f) brincam com; g) situar (...) no; h) manifestaram-se contra; i) drogam-se com; j) atraíram (...) ao; k) situa-se no; l) brincávamos aos (...) aos; m) habituaram-me a, a; n) se manifestarem pela; o) recorrer da; p) amar a; q) pelo (...) repreendia.

31. a) de que eu gosto, gosto de; b) aperfeiçoou-se na; c) possa com; d) avisaram dos/para; e) pousar na; f) parou de; g) ensinei (...) a; h) caracteriza-se pela; i) interessava-se pela; j) abastecia-se com/de; k) ensinar (...) às; l) demitir-se do; m) manteve-se com/no; n) curá-la do, com; o) tape-os com; p) posso com; q) presenteou-o com.

32. a) negou-se a; b) abrir-se com (...) com; c) segurava (...) pela; d) banir (...) do; e) versa sobre; f) calhavam (...) com; g) nega às; h) inquirir sobre; i) calhou ao; j) dava para; k) versa sobre; l) desenrascar-se desta; m) segurou (...) em; n) abriu com; o) estreou-se no; p) humilhar-se perante; q) consta de.

33. a) usufruir de; b) se satisfez com; c) constrangeu (...) a; d) desapareça da; e) se ter recusado a; f) escusamos de; g) forrar (...) com/de; h) apreendeu (...) ao; i) constrangeu-se com; j) cascar na; k) aderiu à; l) forre com/de; m) desapareceu da; n) escusaram-se a; o) ocultava (...) à; p) emanava do; q) incentivou-a a.

34. a) surgir de; b) dispõe de; c) castigá-lo por; d) fixou-se no; e) embirra com; f) desiludimo-nos com; g) indignou-se com/contra; h) conceder (...) à; i) desiludiu-se de; j) dispôs (...) no (...), na; k) adjudicaram (...) ao; l) lamentar-se da; m) dispõe-se a; n) foi castigada com; o) fixar na; p) aludiu (...) à; q) preenche (...) com.

35. a) sujeitar-se a; b) agradar aos; c) rompeu com; d) desfaz nas; e) se espalhou no; f) aumentar para; g) desfizemo-nos do; h) aguentou com; i) desfizeram--se em; j) espalharam-se no/pelo; k) compensá-los pelos/dos; l) aumentou de (...), para; m) reatar (...) com; n) espalhar (...) pela (...), pelo; o) espalhou (...) na; p) condenou-a a; q) sujeitavam (...) à.

36. a) surpreendeu (...) com; b) jogues a; c) emigrou para; d) atidos às; e) diminuíram de (...), para; f) se cansam de; g) revestido de; h) implicar com; i) incluíram na; j) jogava (...) com; k) cansa--se com/daquela; l) implicava com; m) arcar com; n) apartando da (...), dos; o) diminuiu em; p) pende (...) para; q) apartou (...) do.

37. a) despojar-se de; b) ser riscado do; c) ter cortado com; d) ascendeu aos; e) se introduzir nele; f) empenhou-se na; g) louvá-lo pelo; h) ascender a; i) difunde para; j) o introduziu no; k) se concentrar em; l) percebe (...) de; m) agrediram com; n) louvar a; o) difundiu-se a//por; p) introduzir (...) numa; q) alegava em.

38. a) amoldar-se às; b) votar noutro; c) se desforra dos; d) competir com; e) inscreveu (...) no; f) desforrar-se da; g) votar por; h) atinar com; i) compete aos; j) procede do; k) inscrever-me no; l) competir numa; m) tinha processado (...) na, na; n) excluir da; o) atinavam com; p) amoldar (...) aos; q) proceder contra.

39. a) alinhar na; b) intervir no; c) ter arremetido contra; d) discutires connosco; e) viajámos de (...) por; f) fartou-se de; g) relegando para; h) transferiram--no para; i) se cinge (...) aos; j) concordou em; k) transferir-se para; l) concordas com; m) seguiram--se à; n) terem intervindo nos; o) foi atingida com/por; p) alinharam com; q) isenta da.

40. a) dissociar da; b) hesito entre; c) anui em; d) isolou-se da (...) dos; e) hesitam em; f) bate-se pela; g) isolou-se numa; h) rematou (...) com; i) associo (...) à (...), às (...), ao (...), à; j) anui às; k) bati à; l) encantou-se com; m) foi isolado no; n) alistar-se no; o) associou-se a; p) despejar (...) no; q) bater nos.

41. a) instalei-me num; b) unem-se contra; c) destaca-se das; d) se unir (...) aos; e) exilou-se na; f) sentaram-se à (...), nas; g) sucedeu ao; h) apoiar (...) na; i) concluiu (...) com; j) me desenvencilhar dos; k) destaca-se entre (...) pelo (...), pelo; l) unir (...) ao; m) se atreverá a; n) sucede a; o) apoiaremos no; p) aspira a; q) circulava num.

42. a) terminou (...) com; b) concorrer a/para; c) incutia (...) na; d) apostarem a; e) protestam contra; f) dispensou (...) da; g) posou para (...) com; h) tinham atentado contra; i) irromperam pela; j) apostaram na; k) interrogaram sobre; l) dispenso-me de; m) confrontam-se com; n) atentar (...) em; o) concorrer

a/para; p) terminou em/com; q) irrompeu por.

43. a) induz-me à; b) importa-se (...) com; c) desviar (...) do; d) importa (...) de, do; e) ecoou em/por; f) se inteirar do; g) adoeceu com/de; h) testemunhar contra; i) desvia-se do; j) importa-se de; k) superar-me na; l) Em (...) importaram; m) discorda (...) das; n) induzir-te em; o) rebaixar-me ao; p) tivesse renascido para; q) uivar de (...) de.

44. a) rima com (...), com; b) se relacionam (...) com; c) libertar-se do; d) decorre do; e) figuram (...) na; f) expulsaram-na de; g) acostou ao/no; h) grassava em/por; i) cifra-se em/por; j) figura entre; k) haver-me com; l) acudiram em; m) maça-me (...) com; n) apetrechou (...) com/de; o) inferir das; p) virou-se para; q) libertá-lo da.

45. a) enveredam pela; b) em (...) recaíam; c) divergiam (...) das; d) voavam sob; e) Blasfemar contra; f) ilibou (...) das; g) acha do; h) caminhar pelo (...) sob; i) recaiu sobre; j) encontra-se em; k) caminhar na; l) te apeies do (...) na; m) acha-se com/em; n) caminhar de (...) para; o) coagiu (...) a; p) Somando (...) a//com; q) ultrapassa-me nos.

46. a) se recompôs do; b) elucidou (...) dos/sobre os; c) gemer com/de; d) demovê-la de; e) foi agraciada com; f) conspiraram contra; g) capacitou-se de; h) perorou sobre, num; i) reapossaram-se de; j) se viciou no; k) especular sobre; l) se aposentar da; m) desagua no; n) aprimorou-se na; o) assegurou-se de; p) zombam (...) de; q) vincular (...) à.

47. a) alternavam (...) com; b) trabalha nele (...), por; c) furtaram-se à; d) despachar (...) para; e) militou no, contra; f) alheia-se da; g) escudam-se nas; h) te despachar com; i) incorporar (...) na; j) alhear-se da; k) propagar-se até ao; l) cozinhá-lo em; m) se propagar aos, aos; n) guarneceu-o com//de; o) desdenha (...) de; p) escorregando na/pela; q) misturar-se com.

48. a) cospes no/para; b) insurgiram-se contra; c) se projetarem nos; d) equivalem a, a, a; e) se fundem com; f) projetar (...) a/em; g) descarregar (...) para; h) deslumbrei-me com; i) saturou (...) com/de; j) remexer no; k) desprenderam-se do; l) disfarçou--se de; m) descarregaram (...) no; n) remonta ao; o) se arreigaram à/na; p) afloram à; q) Saturo-me de.

49. a) arfando de; b) encobriu-se com/de; c) infiltrar-se na; d) adiar (...) para, para, para; e) remete-nos para; f) afluem ao; g) remeteram-se à; h) me cruzo com; i) fustigava (...) com; j) perturbei-me (...) com; k) encobre (...) com; l) infiltrou-se na; m) fascinámo-nos com; n) encobrir-se numa; o) se desvincula da; p) esgueirou-se do; q) omitiu-se de.

50. a) colou-se a; b) acordou para; c) honrar (...) com; d) enquadram-se na; e) trespassou-lhe (...) com;

f) qualificou-as de; g) rotula (...) de; h) acrescentares (...) à; i) enfeitar (...) com; j) vacilam (...) entre; k) polvilhar (...) com/de; l) colou (...) à; m) recalcitrares contra; n) se preservarem contra; o) estatelou-se na; p) acordaram no; q) rabujavam (...) com.

51. a) jorrava dos; b) bendizer a; c) arrancou (...) das, feriu-o com; d) rebentou comigo; e) responsabilizar- -se pela; f) espreitar pela; g) descolar (...) da; h) responsabilizou (...) pela; i) imiscuir-se nos; j) descolou do; k) safa da; l) precaver-se de, moderar-se no; m) safar-se de; n) migram para; o) sobressaiu de (...) de; p) alastrava-se em/por; q) cismava em.

52. a) avir-se com; b) resumiu-se a; c) inserir-se no; d) retratar-se destas; e) inserir (...) no; f) ergueu- -se da; g) se avir com; h) esconderam-me num; i) desafiou-me a; j) desculpou-se com; k) desafiou (...) para; l) ergue-se para; m) resumir (...) em; n) escondia de; o) aterrou em; p) ergue-se sobre; q) desculpá-lo pelos.

53. a) avançaram sobre; b) distinguir (...) de; c) mudou de; d) desarvorou de; e) descartámo-nos de; f) atirar (...) para; g) mudar de; h) engasgou- -se com; i) distingue-se entre; j) se mudou para; k) desavieram-se com; l) atirou-se ao; m) mudou para; n) avistou-se com; o) mude de; p) distinguiu-se por; q) mudaram-se para.

54. a) despenhou-se no; b) se aplicasse nos; c) furar com; d) cravou-lhe (...) nas; e) subtraído a; f) alvejou-os com; g) esperas do; h) enraizaram-se nas; i) aplicar (...) à; j) subtrair das; k) se aperceberam de; l) transtorno-me com; m) esperei por; n) apercebendo-me (...) de; o) salpicá-lo com; p) se desleixam na; q) rumaram para.

55. a) copiava (...) por; b) abdicou do (...) do; c) deslocar-se-á (...) à, presidir à; d) deslizava pelos; e) abdicar de; f) sacrificou (...) aos; g) absolveu (...) da; h) sacou da; i) multiplicarmos (...) por; j) ancoraram (...) no; k) se ter sacrificado pelo; l) diluir (...) em; m) multiplicavam-se por; n) brotar do; o) sacar dela; p) sacrificar-me a; q) briga com (...) por.

56. a) alertou (...) para; b) abnegou de (...), dos (...) pelas; c) vacinar (...) contra; d) subjugar (...) ao; e) ressaltam de; f) pairavam sobre; g) se dissolve na; h) absorveu-se (...) no; i) com (...) desabafar; j) flutuam na; k) pendurar na; l) foram restituídos aos; m) pairava sobre; n) sensibilizar (...) para; o) sobrepunham- -se ao; p) descurar-se da; q) pecar/pecarem contra.

57. a) treinaram-se para; b) sucumbir às; c) unte (...) com; d) coadunam-se (...) com, com; e) rodavam por; f) prolongavam-se por; g) Ofuscou-se-lhe (...) com; h) nutrir (...) com; i) querelou-se do; j) esgotou- -se em; k) encaminhou (...) para; l) antecipei-me à; m) arrebatou-se com; n) encaminharam-se para;

o) degenerou em; p) arrebataram dos; q) Banhar-se no.

58. a) punido com; b) esbanjou (...) em; c) oscilam entre; d) estremecer com/de; e) trajam de; f) tecem numa; g) tresandam a; h) encorajar (...) a; i) arremessando-as contra; j) canalizará (...) para; k) empeçando (...) nas; l) encerrou-se no; m) granjearam aos; n) tem falhado em; o) possibilitar (...) ao; p) encerraram-nas no; q) atafulhou (...) de.

59. a) solicitou à; b) vibrou de; c) esbarrou com; d) sussurrar (...) ao; e) incorrem em; f) esbarrou contra; g) Vibrei de; h) esmerava-se no; i) especializou- -se no; j) Esbarrei na; k) berrar com; l) extorquir à; m) esvoaçando pelos; n) nascem a; o) berravam por; p) resmungava (...) com; q) antepor (...) ao.

60. a) topou numa; b) bulir nos; c) doutorou-se em; d) admoestou (...) para; e) empolgou-se (...) com; f) chucharam com; g) aferir (...) pela; h) soprou (...) ao/ /no; i) chucha no; j) vadiavam pelas; k) enroscou-se no; l) inspirava-se (...) no; m) terçou (...) pela; n) fervilhava de (...) pelas; o) empanturrou-se de; p) atolou (...) num; q) se alicerçam na.

61. a) estagiando na; b) rivalizar com; c) iniciou (...) com; d) com (...) martirizavam; e) me candidatar a; f) iniciou-me em/na (...) no; g) contentar-se com; h) financia em; i) ansiasse por; j) forneceram-se de; k) comprovavam-se pelas; l) imprimiu (...) ao; m) floresce (...) num; n) estalou-lhe (...) na; o) barafustaram contra; p) atuava (...) sobre; q) solidarizou- -se com.

62. a) zaragatearam com; b) caçoavam da; c) foi galardoado com; d) simpatizar com; e) expõem ao; f) expuseram-se a; g) emancipar-se da; h) transformou-se numa; i) transformar (...) num; j) rotulares (...) de/como; k) focar-te (...) na; l) desdobra em; m) concretizou-se na; n) aconchegou (...) numa; o) aconchegou-se no; p) aturdiram-se com; q) pautar-se pelo.

63. a) incumbiu (...) de; b) crivado de; c) ter encalhado num; d) destoava da; e) horrorizo-me com; f) humedecemos (...) com; g) foram sufocados pelos; h) hospedei-me num; i) triunfa sobre; j) opinar sobre; k) pendura-se nos; l) tem triunfado em/por; m) depositaram (...) no; n) queimei-me no.

PARTE 3

1. 1-forma; 2-situado; 3-ocidental; 4-europeu; 5-provém; 6-maior; 7-cujo; 8-formado/composto; 9-entre; 10-linha; 11-Tejo; 12-norte; 13-clima; 14-no; 15-caem; 16-termómetros; 17-terrenos; 18-rio; 19-plano; 20-searas; 21-vento; 22-seco; 23-longos; 24-chove;

25-regados; 26-ser; 27-pequeno; 28-área/superfície; 29-respeito; 30-pena.

2. 1-acontecimento; 2-divulgar/promover/projetar; 3-mundo; 4-participaram; 5-mundo; 6-oportunidade; 7-afetados/reservados; 8-rio; 9-partida; 10-custar; 11-forma/maneira; 12-suportar; 13-trouxe//criou; 14-entusiasmo; 15-orgulho/prazer; 16-oriental; 17-degradação; 18-pedrada; 19-notórias/importantes; 20-Gare; 21-beleza; 22-aliada/associada; 23-promover; 24-zona; 25-lugar/local; 26-virados//voltados.

3. 1-pese; 2-últimos; 3-estado; 4-bela/bonita/linda; 5-opinião; 6-dela; 7-lugar/parte; 8-onde; 9-estudos//trabalhos; 10-encontra/confronta; 11-pintores; 12-tem; 13-do; 14-cada; 15-momentos; 16-clara/intensa; 17-diversas/diferentes/várias; 18-branco; 19-intenso//forte; 20-por; 21-fere; 22-isso; 23-tenha; 24-dando; 25-filme; 26-inspirado; 27-azul; 28-modo; 29-em; 30-bairros; 31-de/do; 32-aspetos; 33-se; 34-castiço; 35-dia; 36-de; 37-de; 38-consiga; 39-que; 40-pura; 41-pode/consegue; 42-sem; 43-por; 44-por.

4. 1-analisarmos; 2-laboral; 3-ativa; 4-vínculo; 5-palavras; 6-permanente; 7-protegido; 8-polémica; 9-concertação; 10-fiscalizar; 11-resulte; 12-retoma; 13-postura; 14-contratação; 15-estabilização; 16-investidores; 17-défice; 18-alarmante; 19-aceitável; 20-conjuntura.

5. 1-chegarmos; 2-termos esperado; 3-trânsito; 4-estarmos/nos sentirmos; 5-desperdiçarmos//ocuparmos; 6-menos; 7-sentirmos; 8-suave calma; 9-num; 10-sobre/em cima de; 11-telefonou/ligou; 12-conta; 13-caso; 14-poderem; 15-avisem; 16-antes; 17-por; 18-saborear; 19-preparado/feito/cozinhado; 20-para; 21-sabermos/saber; 22-fossemos; 23-perdermos; 24-com; 25-manter; 26-quando; 27-mais; 28-outras; 29-meus; 30-em/de; 31-à; 32-em/de; 33-de/com; 34-a.

6. 1-faz; 2-venha; 3-ocupam/passam; 4-do; 5-de; 6-em; 7-que; 8-local/lugar/sítio; 9-têm/possuem/adquiriram; 10-centros; 11-difícil; 12-ocupado/perdido; 13-engarrafamentos; 14-ponta; 15-gente; 16-longe; 17-ter/viver; 18-tranquila/calma; 19-exemplo; 20-fugir; 21-local/lugar/sítio; 22-viverem; 23-nos; 24-vir; 25-nada; 26-ao; 27-com; 28-particular/especial; 29-seja; 30-pássaro; 31-balir; 32-água; 33-folhas; 34-pelo; 35-proporciona/oferece; 36-momento/instante; 37-cada; 38-emana; 39-ânsia/vontade; 40-conta; 41-de; 42-intenso; 43-para/de; 44-esquecemos; 45-parte; 46-para; 47-por.

7. 1-Através/Depois; 2-concluir/verificar; 3-incidem; 4-ser; 5-liberdade; 6-violência/armas; 7-poupadas; 8-culpados; 9-comunidade; 10-apele; 11-relacionamento/entendimento; 12-ambição/ânsia; 13-cedam; 14-incumbidas; 15-acordos; 16-negociação/insistên-

cia/inteligência; 17-obtidos/conseguidos/negociados; 18-maioria/generalidade; 19-chamados; 20-controlar; 21-ocorrem; 22-fruto/consequência; 23-participem; 24-tendência; 25-feitas/realizadas; 26-explicação; 27-atitudes; 28-decidir; 29-conclui; 30-melhor/antes; 31-vista; 32-sentido; 33-posição; 34-gerações; 35-sofrer com/suportar; 36-cometer.

8. 1-desenfreada; 2-sequer; 3-limites; 4-dentro; 5-ato; 6-até; 7-exame; 8-especialistas; 9-processamento; 10-fantásticos; 11-conceito; 12-si; 13-depende; 14-ênfase; 15-dignidade; 16-correspondem; 17-salutares; 18-essência; 19-acessível; 20-contexto; 21-medida; 22-arbítrio; 23-privacidade; 24-controlar; 25-ultramoderna; 26-perca; 27-pesquisa; 28-paz; 29-beber; 30-banca; 31-pegando; 32-resulta; 33-capacidade; 34-transformando-nos.

9. 1-passemos; 2-acreditando; 3-pululam; 4-vivem; 5-acampam; 6-sorrir-nos-iam; 7-revelar-nos-ia; 8-encontram; 9-atinge; 10-proliferam; 11-eliminar; 12-tenham desenvolvido; 13-tenham prolongado; 14-ser utilizada; 15-perder; 16-manifestam-se; 17-aconteça; 18-combate; 19-esconder-se; 20-acabar; 21-devermos; 22-fazer-lhes.

10. a) rejuvenescer; b) emagrecer; c) se fortalecer; d) descontrair/descomprimir/relaxar; e) se refrescar; f) adoçar; g) embelezar; h) envelhecer; i) aumentar; j) abreviar; k) liberalizar; l) enriquecer; m) se apoderarem das; n) aquecer; o) encurtar; p) aperfeiçoar; q) dificultarem; r) entristeceu; s) solidarizaram-se; t) descredibilizou-se.

11. a) bala; b) frio; c) maria; d) mão; e) declarações; f) pôr; g) carne; h) alma; i) francesa; j) chinês; k) parede; l) calmo; m) piedade; n) preguei; o) papas; p) rasa; q) quentes; r) limpo; s) benefício, descargo; t) estampa.

12. a) alargar; b) consertar/reparar; c) aguçar/afiar; d) endireitar; e) adoçar/adocicar; f) renovar; g) alisar; h) embelezar; i) clarear; j) enriquecer; k) desanuviar//descompactar; l) acertar; m) encurtar; n) amolecer; o) acelerar; p) aperfeiçoar; q) esvaziar; r) aligeirar/aliviar; s) alisar; t) engrandecer/aumentar.

13. a) fazermos; b) apelo; c) tomei; d) assumir; e) perder/desperdiçar; f) tomar; g) entrou; h) fazer; i) façamos; j) pôs; k) metem; l) apresentar(mos); m) quebrar/violar; n) lançou/fez; o) apoiámos/acolhemos; p) assumidos/honrados; q) fugir; r) atingiu; s) reatou; t) sofre; u) prestar; v) manter/estabelecer; w) assumir; x) superar/vencer; y) coaduna/harmoniza.

14. a) acusemos; b) travei; c) importou; d) deu; e) faça; f) pôs; g) levantou; h) exibir; i) manifestou; j) pôs, romper; k) quebrar/interromper; l) levantou; m) teceu/fez; n) aproveitaram, exporem/manifestarem; o) apresenta, realizada; p) coube; q) pôr; r) diz; s) fez; t) arrastar.

15. a) Pessoa alguma seria capaz...; b) ...mas não tinha nenhuma pressa...; c) ...mas não escreveu...; d) Cada um...; e) ...a cada três dias/de três em três dias; f) Você tem cada uma!; g) ...apanhávamos cada constipação!; h) ...custam cem euros cada; i) ...tinha uma certa mágoa...; j) ...a idade certa que...; k) O amigo certo nem...; l) Estou certo do...; m) ...ajudam--se um ao outro; n) No outro dia...; o) ...e no outro dia tiveram de...; p) ...alguns desses meus amigos...; q) ...umas canetas tuas e...; r) Alguns dos meus...; s) Ambas as situações...; t) Não conheço ninguém que não tenha... .

16. O Leon é argelino. Ele vive em Portugal há seis meses. Ele está muito contente. Ele não sabe falar outras línguas a não ser a sua/exceto a sua, mas decidiu estudar português. Todas as manhãs, ele vem para a faculdade de metro. As pessoas tentam ajudá-lo. Se ele pudesse, vinha de táxi: chegava mais depressa/rapidamente. No outro dia, o Leon perguntou ao professor se podia chegar quinze minutos mais tarde. Então, o professor autorizou-o a chegar depois de a aula ter começado/começar. A cidade do Leon é maior do que/que Lisboa, mas ele acha que o trânsito na sua cidade não é tão caótico como em Lisboa. Caso ele possa, vai tentar mudar-se para um apartamento mais perto da faculdade. Mais tarde pensa comprar uma casa e talvez possa fixar-se/ /fixar residência no nosso país, se tiver sorte de encontrar/arranjar um bom emprego. O Leon acha que Portugal é o país ideal para (se) viver.

17. creem, vêm, sejam, creiam, provém, caiba, se fique, perca, propõem-se, instruem, constroem, desconhecem, acarreta, traz, obstrui, destrói, surja, possa, veem, agridem, se esforçam, evolua, acode, haja, se mantenha, convirjam, se dispam, sigamos, cuidarmos/cuidamos, corremos, se desumanize, fiquemos.

18. passe, seja, se apodere, possa, consiga, me concentre, tente, insista, chegue, tenha, esteja.

19. a) me tenha esquecido; b) tenha/tiver feito; c) não tiveres tratado; d) tivesse aceitado; e) tenha matado; f) lhe ter sido entregue; g) tiveres/tenhas escrito; h) tivesse morrido; i) tenham chegado; j) tenhas conseguido; k) tivesse sido construída; l) tenha chovido; m) ter gasto; n) terei posto; o) tivesse decidido; p) tenha sofrido; q) tivessem intervindo; r) terem pedido; s) se ter reformado; t) ter desligado.

20. a) tenha feito; b) tenham conseguido; c) se tivesse esforçado; d) te tenhas naturalizado; e) se tenham/se tiverem inscrito; f) tenhamos entregado; g) tiver imprimido; h) terem terminado; i) terei/teria posto; j) tenhas/tivesses deixado; k) tinham utilizado; l) tenham sido; m) ter-se-ia propagado; n) tivesse pago; o) terá/ /teria intervindo; p) terá/teria aberto; q) tivesse vindo;

r) tivesse podido; s) tivesse concluído; t) terem matado.

21. queremos/quisermos, possamos, prefiramos, esteja, fizer, provoquem, soubermos, me organizasse, me garantisse, fizer(em), tenhamos, tenhamos, se puser, obtiver, venha, puder, tiver, surja,

22. a) nos mantivermos; b) possamos; c) podermos; d) tivesse feito/fizesse; e) possa; f) nos predisponhamos; g) saibamos; h) haja; i) intervierem; j) se disporem; k) lhe deem/lhe sejam dadas; l) descubram; m) repitamos; n) se preocupassem; o) vejam; p) tivessem permitido; q) quereres; r) se repitam; s) se precaverem; t) puser.

23. a) cheguei; b) venhas/vieres; c) partirmos; d) pôs; e) virem; f) quer; g) estiver; h) puder; i) me sinto; j) se inteirou; k) fizer/faça; l) for; m) se esgotem; n) terem concluído; o) segue/tem seguido; p) me deres/ /me dês; q) requereu; r) te assumires; s) interveio; t) se mantiverem.

24. a) esteja; b) me repita; c) te ponhas; d) fizesse; e) se refira; f) termos; g) desejemos; h) sendo; i) repita; j) haja; k) te decidires; l) digam; m) queiramos; n) sentindo-se; o) se tivesse projetado/se projetasse; p) apele; q) transija; r) tivesse dado; s) o advertissem; t) lhe impusessem.

25. a) Embora me sinta cansada quero...; b) Apesar de já nos termos visto antes, não me lembro...; c) Ainda que se faça tarde, vou...; d) Mesmo sabendo que não vou ganhar, vou concorrer.; e) Mesmo que faça esforço, ele...; f) Embora nos tivéssemos apressado, já não conseguimos...; g) Embora ela queira resolver a situação, não encontra...; h) Mesmo estando mau tempo, decidiram pôr-se a caminho.; i) Mesmo que tentes convencer-me, ...; j) Ainda que os bombeiros tivessem vindo depressa, já não...; k) Mesmo que saiba muito de gramática, ela vai...; l) Mesmo tendo consultado o livro há pouco tempo, já não se...; m) ..., nem que seja à força.; n) ..., conquanto o tivesse feito contrariada.; o) ..., se bem que tivesse intervindo apenas cinco minutos; p) Por mais que se contivesse/tivesse contido, ...; q) Embora nos tivéssemos atrasado, vamos aguardar...; r) Por pouco que interviesse, punham-lhe sempre...; s) Se bem que lhe conviesse jantar em casa, ela aceitou...; t) Ainda que ele se mostrasse preocupado..., não fazia nada.

26. a) fizer; b) houver; c) trouxer; d) virem; e) vieres; f) pusermos; g) for; h) escrever; i) disseres; j) souber; k) odiares; l) estiverem; m) sentir; n) propuser; o) mantiverem; p) comer; q) ficar; r) prender; s) marcar; t) saírem.

27. a) passe; b) conseguir; c) ficar; d) faça; e) ponhas; f) regressem; g) me digas; h) mantenham; i) estar; j) pudessem; k) ficassem; l) partir; m) venhas;

n) chegue; o) deem; p) descobrissem; q) insistir; r) meças; s) leiamos; t) atingir.

28. a) possas, chegues/chegares; b) forem, percorram; c) se interpusesse; d) surja/surgir, avise-me; e) intervier; f) consigas, reaja; g) reouvesse; h) virmos/vejamos; i) se retrate, ponham; j) descobrirmos; k) houver; l) cubra; m) vieres, vejas; n) vires, venhas; o) requerer/requeira; p) se precavessem; q) nos contenhamos; r) façamos; s) interfira; t) sairmos, ouçamos (ou oiçamos).

29. a) É necessário que venhas urgentemente; b) Como está a chover.../Se estiver a chover...; c) Não desaprendi as lições que recebi; d) Eu ainda não a tinha visto depois de ter sido operada; e) Era o sortilégio, a sedução, que feriam os corações; f) Como/Porque/Visto que se sentia estonteado...; g) Logo que cheguei à rua,...; h) Embora eu não saiba se lá chegarei... ; i) Vi um grupo de homens que conversavam.; j) ...que dá excessivamente sobre o mar; k) ...que se erguiam acima do...; l) ...que lhe acenava com a mão.; m) Se pensarmos bem, acho...; n) Quando terminou a cerimónia, ...; o) Como estava desesperado...; p) Se pusermos essa hipótese, ...; q) Embora não queira impor a minha opinião, ...; r) Quando lhe cheira/Sempre que lhe cheira a petisco...; s) Depois de fazermos/termos feito as contas, ...; t) Se mantiveres a calma,

30. a) difira; b) cumprisse, fosse; c) interfiram; d) intervenham; e) exijam; f) se proveja, seja; g) padeçam; h) fosse; i) se consciencializasse; j) se referisse; k) a destrua; l) retivermos; m) receie, receemos; n) presencie; o) odeie; p) soubéssemos; q) estejamos; r) aprazassem; s) se acerque; t) prima.

31. a) reponhas, sejas; b) viajem; c) viesse; d) diga, repita; e) vibrássemos; f) possamos; g) nos detenhamos; h) lhe obstruísse; i) te mantenhas; j) a odeie, seja; k) possamos; l) pudemos; m) advêm; n) soubessem; o) se faça; p) me peças; q) ele pudesse; r) lhe impute; s) venhas, quer fiques; t) se aviesse, deixariam/deixassem.

32. a) requeiras; b) façamos; c) repitas; d) pudesse; e) possa; f) pusesse; g) haja; h) veja, apontem; i) reouver; j) chova, esteja; k) se levantasse; l) se sentisse; m) se apercebesse; n) percas; o) tenhamos; p) provenha; q) me peça; r) surja, possa; s) nos aborreçamos; t) queiramos.

33. a) lhe trouxesse; b) possamos; c) requeira; d) houver; e) possa; f) ouça (oiça); g) se precavessem/se tivessem precavido; h) se obstrua; i) perca; j) impeçam; k) chegue, consigamos; l) suba; m) pusessem; n) apliquem; o) incutíssemos; p) venha; q) perca, opte, seja; r) propusesse; s) prevíssemos; t) saiba.

34. a) reouver; b) haja; c) puseres; d) consigas/conseguires; e) podermos; f) pudermos, contemos; g) me agrida; h) perca; i) transgrida; j) a odeie, a menospreze; k) se insurjam; l) saiam; m) adquiram; n) requeira; o) estreemos; p) consigamos; q) marques; r) quiseres; s) ponhas; t) haja.

35. a) obtiveres; b) possas; c) quiseres; d) souber; e) chegue; f) saírem/saiam; g) termos; h) pôde; i) usarmos; j) conseguires; k) seja; l) me convençam; m) mudes; n) confie, haja; o) fizéssemos; p) tenhamos; q) façamos; r) consiga; s) nos estimamos, fôssemos; t) nos sentirmos.

36. a) equivalha; b) reajam; c) paira; d) possamos; e) obtivermos; f) subvalorize; g) reaverem; h) se mantenham, se passeiem; i) souberes/saibas; j) viesse; k) se ponha, surjam; l) nos sintamos; m) queiramos; n) nos desse; o) nos retivessem; p) se altere; q) progredisse; r) revissem; s) trouxessem; t) requereu.

37. a) tragamos; b) fizesse/tivesse feito; c) tenha aceitado; d) se precavessem; e) fosse reposta; f) aja; g) haja; h) se mantiver; i) equivalha; j) tivesse sustido; k) reveja, haja; l) nos europeizássemos; m) nos aprouvesse; n) fosse eleito/tivesse sido eleito; o) erga; p) perca; q) adiram; r) obtivesse, pudesse; s) requeresse; t) adviesse.

38. a) tenha sido promovido, estive; b) ponha; c) faça; d) produzamos, atinja; e) saibam; f) percas, seres; g) queira; h) se esforçasse; i) leem/lerem, progridem; j) repita; k) creiamos; l) criemos, adiram; m) insiras; n) pusesse; o) proveja; p) prove; q) provenha; r) te sintas, te sintas; s) receemos; t) nos remediemos.

39. a) venha; b) se concretizarem; c) se demarque; d) haver, significar; e) se predisponham; f) se contenham; g) provier; h) possamos; i) se manifestarem; j) receemos; k) obtiveres; l) nos deem; m) surja; n) houver; o) provoquem; p) nos falte; q) puserem; r) nos faça; s) nos decidirmos; t) impuser.

40. a) Se eu comesse..., teria...; b) Se não apanhássemos... não chegaríamos... ; c) Se ela não retivesse... não poderia relatar...; d) Se eles não estivessem... não requereriam...; e) Se o Procurador-Geral da República/PGR não provesse... eles não estariam...; f) Se as notícias não ferissem... as pessoas não se sentiriam...; g) Se tudo não fosse... o país não se encontraria...; h) Se os jornalistas não fizessem... não receberíamos...; i) Se ele visse... ficaria...; j) Se eu não lesse... não me manteria...; k) Se não houvesse... as pessoas limitar-se-iam...; l) Se as autoridades quisessem... não sugeririam; m) Se não houvesse quem especulasse... as vendas dos jornais não subiriam...; n) Se as informações não proviessem... poderíamos duvidar...; o) Se muitos não preferissem... outros casos se conheceriam.; p) Se a Polícia Judiciária não se detivesse... correria o risco...; q) Se as pessoas não se protegessem... não promoveriam...; r) Se não nos mantivéssemos... desviar-nos-íamos...; s) Se eles não reconstruíssem... não se aperceberiam...; t) Se não nos preocupássemos... os culpados poderiam ...

41. a) Se ela não se tivesse manifestado... não teria perdido...; b) Se eu não tivesse posto... não teria conseguido...; c) Se ele não tivesse previsto... não se teria precavido...; d) Se as relações não tivessem provindo... não teríamos ficado...; e) Se tivesses... teria desaparecido.; f) Se me tivessem informado... não teria aceitado...; g) Se tivéssemos revisto... não teríamos tido...; h) Se não tivessem preferido... não teriam chegado...; i) Se não tivesses intervindo... não teria ficado...; j) Se não me tivesse sentido bem... não teria resolvido...; k) Se não me tivesse apetecido... não se teria alargado...; l) Se não tivesse havido... não se teria tornado...; m) Se não se tivesse refeito... não teria decidido...; n) Se ela não tivesse imprimido... teriam conseguido...; o) Se o nosso candidato tivesse sido eleito... não teriam ido...; p) Se se tivessem inteirado... não teriam perdido...; q) Se não me tivesse importado... não teria sido...; r) Se não lhe tivesse dito... não teria passado...; s) Se não tivesse ganho... não me teria sido...; t) Se os pais não tivessem investido... não teria feito...

42. a) descuremos; b) mantenham; c) se ponham; d) contem; e) a defenda, proteja; f) possa, conte; g) obrigue; h) reaja, se queixe; i) são torturadas; j) dão, aceitarem; k) garanta; l) distorçam; m) intervenham, se empenhem; n) tivermos, podemos, se arrastem, obterem; o) se exclua; p) percam; q) nos trouxesse; r) se insurjam, se mantenham, seja; s) haja, destrua, agrida; t) conseguíssemos, caminhar.

43. a) tragamos; b) haver; c) opores-te; d) Cumpre, tomar(em); e) escolher; f) provêm; g) aprovassem; h) haja; i) celebrassem; j) participar; k) saibamos; l) previram; m) privou; n) ajam; o) constatar; p) proferir; q) façamos; r) ponhamos; s) enfrentaremos; t) nos mantenhamos.

44. a) maledicência; b) inusitadamente; c) impante/ /embófia; d) dissentir; e) indeléveis; f) despicienda; g) prolixo; h) inexorabilidade; i) displicente; j) pusilânime; k) inveterado; l) extravagânciar; m) exiguidade; n) condicentes; o) iniquidade; p) meliantes; q) exangue; r) inanidade; s) pertinência; t) dúctil.

45. a) Dou-me bem com; b) deu em; c) dá para; d) dei pelo; e) dei com; f) dão para; g) deu em; h) não se dá com; i) dava para; j) dei pelo; k) deu com; l) deu com; m) deu-lhe para; n) deu em; o) dar em; p) Deram em; q) Deu em não; r) dava nos; s) Dava-se por; t) daria por